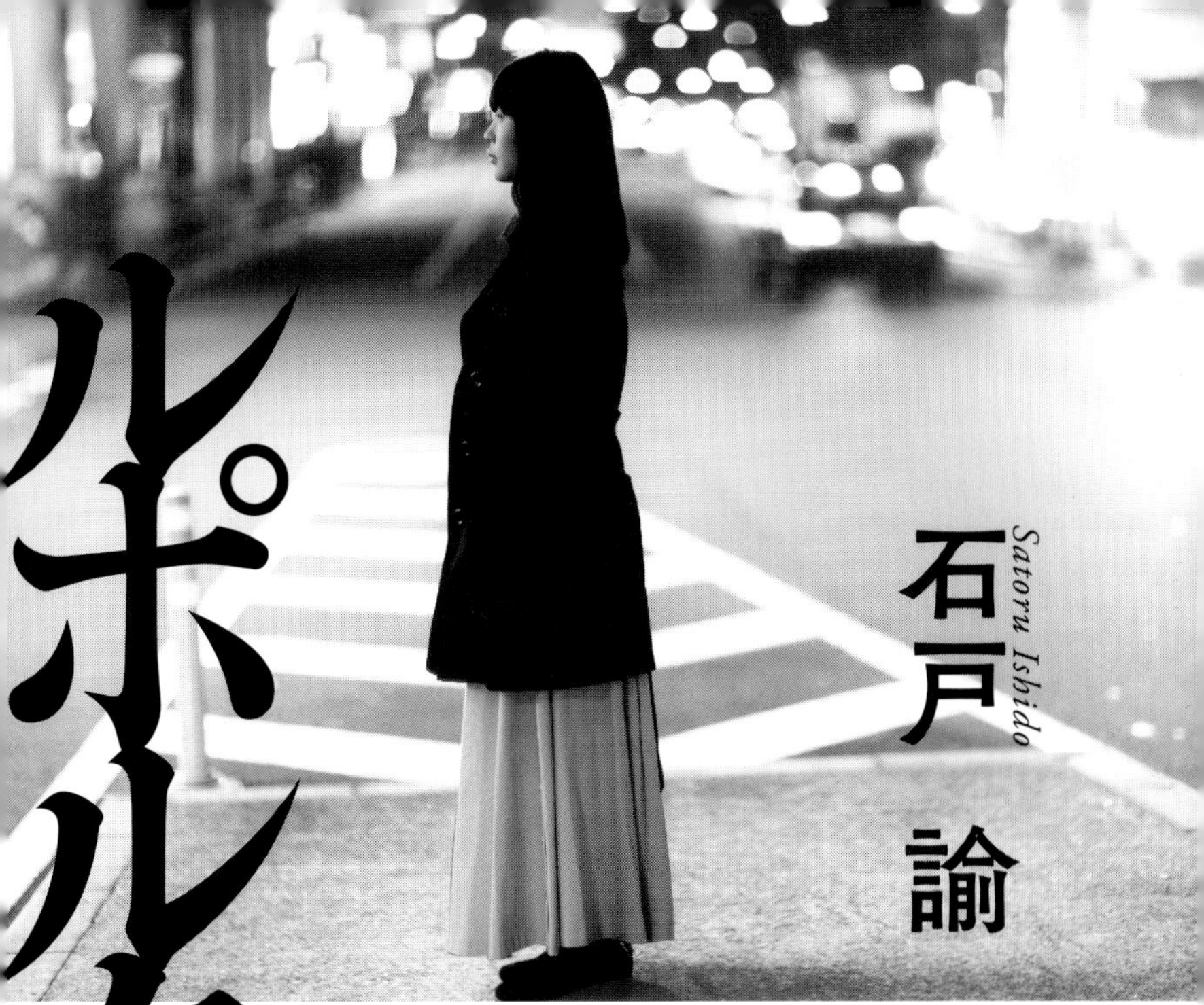

東京ルポルタージュ

疫病とオリンピックの街で

石戸 諭
Satoru Ishido

毎日新聞出版

東京ルポルタージュ
疫病とオリンピックの街で

目　次

立ち向かう精神 8
ある書店 17
もう戻らない日々 24
横丁の流儀 32
洋ちゃんが死んだ 40
消えた歓声 51
Do You Remember Rock 'n' Roll Music? 58
ポピュリストたちの祭典 67
若者のすべて 75
東京都千代田区永田町 99
テーラーの愉楽 111
赤坂の小さな家 122
劇場 130
電話の向こうで 138
名指しされた人々 147
再出発 167

ゴー・ビヨンド〈超えてゆく〉 176
2021年のSOMEDAY 186
軽く一杯 200
自粛警察 208
三つの顔、一つの道 222
原点 230
成長を摑んだ者たち 238
敗者の足跡 248
「台湾人」のオリンピック 258
7月23日からの記録 266
祭りの陰で 277
まぜこぜ礼賛《らいさん》 287
雨に踊れば…… 297
街の止まり木 304
偶然に開かれて 315
あとがき 324

装丁・本文フォーマット——宮川和夫
目次・本体表紙写真——カガリユウスケ
本文写真——中村琢磨
小出洋平
小川昌宏
組版——キャップス

東京ルポルタージュ　疫病とオリンピックの街で

歩くことは、人類の文化という星空に輝くひとつの星座となってきた。この星座には身体、想像力、ひろく開かれた世界という三つの星がある。別々に浮かぶ星々をひとつの星座にするのはそのあいだに引かれた線、すなわち文化的な意味を負って歩く、という行為によって引かれる線だ。星座とは自然の現象ではなく、そこに重ねられた文化だ。そして星々をつなぐ線は、過去に人びとがたどりその想像力が踏み均してきた道に似ている。この歩行と呼ばれる星座には歴史がある。すべての詩人、哲学者、謀叛人たちが歩み、赤信号を渡る人、娼婦、巡礼者、観光客、ハイカー、登山家が踏みしめた歴史だ。そこに前途があるか否か。それは、この星々をつなぐ道に続く者があるか否かにかかっている。

（レベッカ・ソルニット著・東辻賢治郎訳『ウォークス　歩くことの精神史』左右社）

立ち向かう精神

「80パーセントから90パーセント減ってところですかね。えーと、昨年同月比です」とフォトグラファー、小田駿一《おだしゅんいち》はカラッとした口調で言った。場所は新宿ゴールデン街新世代を代表するバー「The OPEN BOOK」である。木目を活かしたテーブルに肘《ひじ》をかけて、焼酎をロックで飲んでいた。その言葉に悲壮感はなかった。むしろ、ここまで悪くなったのだから、嘆いていても仕方がないという思いが彼にはある。

1990年生まれ。イギリス留学で写真を学び、帰国後、ビジネス雑誌「Forbes JAPAN」など雑誌を中心に活躍している。気鋭のフォトグラファーとして紹介されることが多い。

仕事がめっきり減ったのは、2020年の3月に入ってからだった。不穏な空気は流れていたが、ここまでとは……というのが正直な思いだった。新型コロナウイルスの影響を真っ先に、かつもっとも受けた業種と言っていいだろう。人間が現場に出る仕事は、一部を除いて「不要不急」の代表格として扱われた。彼もそのうちの一人だ。

小田は、これまで最大で月に50本程度の撮影をこなしていた。活躍するフリーランスの若手と紹介されればかっこうはいいが、やっていることは地味な作業の繰り返しでしかない。編集部からの依頼を受けて、集合時間よりも早く現場に行き、撮影スポットをいくつか決めてから撮影に入る。順調にいけばいいが、現場にはアクシデントがつきものだ。編集者からの指示にも応えないといけない。

面白い仕事も多いと思う半面、月に50本ともなれば、あくまで次から次に納品するビジネスと割り切る姿勢も必要になる。彼の日常は、理想というには程遠いものだった。家族との時間も満足に持てないまま平日は連日撮影し、土日はレタッチ作業をして納品する。休日でも撮影があれば、それを優先する。彼の人生はそれの繰り返しだった。

小田とは、これまで2度ほど仕事で顔を合わせたことがある。最初に出会った現場は「Forbes JAPAN」の取材だった。ことの経緯はこうだ。「Forbes」誌で30代以下の若手ビジネスパーソンを特集することになり、私にも依頼がやってきた。取材対象は堀江裕介というスター起業家だ。

2018年7月11日、一本のニュースが日本のスタートアップ業界を大いに賑《にぎ》わせていた。群雄割拠のレシピ動画サービスで、勢いよく伸長していた「kurashiru（クラシル）」を運営するdelyが、IT最大手ヤフーの連結子会社になることが一斉に報じられた。新しもの好きのメディアはこぞって、『世界No．1』にこだわる」「目指すは1兆円企業」とうそぶくdely社長、堀江の言葉を伝えた。

勢いのある堀江のインタビュー記事を依頼された私は、過去のインタビューや取材記事をすべて読み、ビッグマウスは彼の「虚像」なのではないかと考えるに至った。発言は壮大、しかし博打《ばくち》打ちというよりは、地に足がついた経営をしている。大勢を喜ばせる前者は虚像で、後者のほうが実像ではないか。虚と実が入り乱れる「若手経営者」をいかにして描くか。編集者との打ち合わせで、そんなことを伝えていた。

先に現場にいた小田は、入念にテストを繰り返しながら時間ばかりを気にしていた。あらかじめ用意されていた撮影時間は確かに少なかったが、その中で「虚と実」を表現する一枚を押さえたいと言った。誌面のイメージに合わせた挑戦的な写真になるので、時間が足りるかはわからないという。彼の準備はよく知られた和製英語でいうところのロケーションハンティング、通称ロケハンで終わることはなかった。

撮影用の衣装に着替えた堀江に強い光を当てながら、顔の向きを変えさせる写真を何枚も撮っていく。真横から正面、その逆、あるいは向きを変えて……。果たして出来上がった写真は、実に見事だった。シャッタースピードを抑えることで残像も映るように計算し、正面を見据えた堀江と横向きの残像が組み合わさる「虚実」「二面性」という原稿のテーマを表現した写真が出来上がっていた。

勢いのある人物は取材して描くことも、撮ることもさして難しいことではない。成功者の体験は概して面白く、ポイントを絞って聞いても原稿になる言葉は返ってくるし、工夫を凝らさないポートレートでも「絵になる」からだ。しかし、それは誰でもできる仕事であることを意味している。誰でもできることはつまらないと思い、自分なりの視点を打ち出せるかが大事なのだが、こうした感覚を共有できるライターもフォトグラファーも業界には案外少ない。

「編集者から言われたことに応えることはできるけど、それだけでは面白くないよね」という言葉は、彼の虚栄でもなんでもなく本心であることは仕事からよくわかった。

小田の口調が悲壮感に満ちていないのは、一つのプロジェクトに取り組んでいるからだった。彼はこう考えた。おそらく、しばらくの間受注する仕事は減るだろう。では、今後のステップアップのために、自分に足りないのは何か。それは一冊になるような作品を撮ることだ。彼は余ってしまった時間を作品作りに投資すると決めた。そこで自分に問いかけた。

「今、撮りたいものはなんだろう。フォトグラファーとして何をすべきだろうか」。とっさに思い浮かんだのは、緊急事態宣言下の東京を撮ることだった。

彼は2020年4月10日、11日、つまり緊急事態宣言が出て初めての週末を迎える夜の東京に出た。政府や専門家が「行かないで」と名指しした「バー」は協力して、営業を自粛していた。感染拡大を防ぐために、経済的なリスクを背負いながら、彼らは協力していたのだ。小田が雑誌の編集者に連れてきてもらい、その後は自分でしょっちゅう出入りしていたゴールデン街はどこもかしこも営業をやめ、しんと静まり返っていた。苦しいはずの店主たちは率先して店を閉めた。何のために？　それは街自体を守るためだった。

ロックダウンした東京を撮影するのも、静まり返った夜の街を切り取るのも、凡庸《ぼんよう》に思えた。およそ多くのフォトグラファーが思いつくアプローチであり、いくつもの写真が出回るだろう。ただ写真を撮るだけではない、もっとポジティブなアプローチが必要だと彼は考えた。夜の街の様子に、感銘を受けていたのは間違いない事実だった。そこで気がつく。静まり返った街は、むしろ希望ではないか。

「Ｎｉｇｈｔ　Ｏｒｄｅｒ」――秩序ある夜、という言葉が浮かんだ。夜の街にある静寂は、明日に向かうための秩序であり、その秩序を守っているのは一人一人の自発的な意識だ。彼は街を貫く気高い精神を見つけた、と言ってもいい。人々は、再開を諦めていない。その姿勢を写真で何か支援できないか。コンセプトは決まった。

次に思いついたのは、緊急事態下の飲食店を撮影した写真集とオリジナルプリントを作ることだ。クラウドファンディングサイトで、プロジェクトを告知し、写真を買ってもらい、収益の一部を飲食店に還元することを彼は思いついた。

「お金を持っている人が助けるのは、当たり前じゃないですか。でも、俺はそうじゃないことをやりたかったんですよ。俺も仕事がない、相手も仕事がない。でも、助けたい。それが面白いし、意味があるんじゃないかと思ったんですよ。でも、話をしたカイくんたちにそれだけじゃあつまらないって言われて……」

小田に注文をつけた一人は、「The OPEN BOOK」を経営するカイくんこと、田中開だった。小田とほぼ同世代であり、この界隈《かいわい》の有名人だ。祖父はゴールデン街を愛したという言葉を通り越し、ほぼ住人となっていた直木賞作家・田中小実昌である。戦後、このエリアは青線地帯（非合法の売春街）から小さな店がずらりと軒を連ねる飲食店街に変貌した。やがて、文化人が出入りするようになり街の名前は有名になっていく。その中にあって、ゴールデン街を代表する文化人といえば、毎夜飲み歩いた田中小実昌を措《お》いて他にいない。その孫は母親を亡くし、財産を相続したことを機に、土地と店を買い取り、祖父の蔵書をずらりと並べるブックバーのオーナーになった。田中が早稲田大学大学院生（のちに除籍となるのだが……）

だった、2016年のことである。

被写体になる田中たちが注文をつけた理由はこうだ。写真集や作品を買ってもらうのはいい。だが、それだけではなく、撮影プロジェクトに賛同した飲食店で使える支援チケットをリターンで提供するのはどうか。写真集を買えば、もれなくチケットがついてくるほうが支援になるのではないか、というアイデアだ。田中たちの提案を小田はそのまま採用した。彼も写真を買うだけでなく、店に来てもらえるような仕組みが大事だと思ったからである。


ゴールデンウイーク明けから、新宿界隈の店はぽつぽつ開くようになったが客足は戻ってこなかった。小田の仕事がなくなり始めた3月の後半から一気に客足が途絶えたまま今に至る。人の出入りは、この日も普段の1割程度といったところか。こんな静かなゴールデン街は歴史を遡っても無いだろう。

田中はこんなふうに考えている。「まぁしょうがないっすよね。ゴールデン街は『密』を楽しむところだから。それは人も減るでしょう。でも、これで街が終わるかといったら、そんなことはないですよ。ゴールデン街の敷居の低さは異常ですから。今、この街にはだいたい280の店があります。仮に飲食営業が成り立たなくなったとしても、みんな逞《たくま》しいですから、何か違うことを始めると思いますよ」

この街の〝住人〟のしたたかさは、いつの時代であっても変わらない。一見すると適当なようでいて、彼らは街で生きていくための最後の一線を守ってきた。店には、アルコール消毒液が客から手の届く場所に置かれている。路地に、近隣の店同士持ち回りで担当しているパトロール隊がやってきた。閉めている店舗の窃盗対策だという。「いい加減な街」を守るために、住人は自身の手で「秩序」を保とうとしていた。

氷がだいぶ解けてしまった焼酎のグラスを傾けながら、小田は、自身が目指すのは報道写真であり、抽象写真でもある一枚だと語った。彼は目指すべき地点を見定めていた。危機は、人に生き方の見直しを迫る。彼らはターニングポイントで新しいものを生み出す道を選んだ。少なくとも、私にはそう見えた。

小田は写真集を無事に刊行し、さらにタトゥーが刻み込まれた人々を切り取った作品で個展を開くことになるのだが、それはまた別の話にしておこう。あの日の言葉で、彼の話を終わらせてみたい。薄暗いバーの灯りは私が飲んでいたレモンサワーを照らしていた。グラスの水滴が煌《きら》めいていた。その光を見ながら小田は言う。「気がついていたんだ」、と。

「今のままじゃだめだったんだ。商業写真をずっと撮ってきたけど、実は限界を感じていた。自分が撮りたい写真を撮る時間もないくらい仕事を抱えていた。でも、今、収入は減っているけど、撮りたいものがある。作品と向き合う時間がある。充実はしているよ」

彼は残っていた焼酎に目をやった。その一杯を飲み干す前にと私はグラスを手にとり、彼の方に少し傾けた。彼も同じようにグラスを傾けてから、残った焼酎を口にした。空っぽになったグラスを置いて、小さな声でこう言った。

「今は、次のステップにいくための時間なんだ」

ある書店

かつて「オリンピック道路」という言葉があった。時は1960年である。64年の東京オリンピック開催に向けて整備された、最重要路線が、メイン会場の神宮エリアと駒沢エリアを結ぶことになる「放射第4号線」、今の「246」こと「国道246号線」である。

その中でも、象徴的な道路工事は青山通りで、道路幅を倍にする工事が敢行された。

有名ブランドが軒を連ねる表参道駅、246周辺は、東京の中でもとりわけグローバルな空気を感じるエリアだ。パリでも、ロンドンでも、ニューヨークでも、あるいは北京でも、同じようなブランドショップが軒を連ねる一角がある。そこに行けばアップルの新製品も、最新のモードもすぐ手に入れることができ、流行の最先端に身を包んだ人々が闊歩《かっぽ》する。

では、表参道はまったく個性のない、凡庸なブランド街なのだろうか。

実は、表参道というエリアを特徴付けているのは老舗《しにせ》の存在だ。少し調べただけでも、蕎麦《そば》屋、和菓子屋、そして130年前から商売を始めた書店がある——。

「私たちにとっては青山、今の表参道は生活する街、商人が集まる街だったんですよ」。創業1891年「山陽堂書店」の4代目である遠山秀子《とおやまひでこ》は弾むような声で語った。新型コロナウイルスの影響で、予定していた対面の取材ではなく電話でのインタビューになった。営業時間を短縮し、それでも書店を開き続けている。表参道の「商人」としては、なかなか大変な状況であることは想像に難くなかったが、それでも彼女の声に暗さはなかった。

私が書店の歴史を知ったのは、2010年代ももう後半というときだった。取材先のトークショーで訪れたときに1枚の写真を知った。まだ道路が拡幅される前の246がきれいに写っている写真で、東京オリンピック前の街の空気が切り取られていた。聞けば、書店の屋上から撮られた白黒写真であり、今でも店に保存している大切な写真だという。

遠山は幼少期から表参道を知っている。子供のときの思い出は「迷子札」を首からぶら下げて、青山周辺をうろうろしていたことだ。当時の表参道は彼女のような子供にとっての遊び場であり、そこで生活している近所のおばちゃん、おじちゃんが相手をしてくれた。今となっては考えられないが、田舎のコミュニケーションが都市のど真ん中でも繰り広げられていた。

住み込みで働いていた戦前を知る店員は、小さなエピソードを彼女に語って聞かせた。辺り一帯はお屋敷街で、爵位を持った人々が住んでおり、そうした家では家主を「お殿様」と呼んでいた。ある日配達で、その家の女の子を「お嬢様」と呼んだらへそを曲げてしまい、怒られた。「お姫《ひい》様」と呼ばなかったからだ……。口頭でおもしろおかしく語られる一つ一つのエピソードが今となっては、貴重な歴史の証言だ。

件《くだん》の写真も、まさに表参道の歴史である。

山陽堂書店が現在の場所に移ったのは、１９３１年のこと。当時としては珍しい鉄骨地上3階、地下1階の頑丈な建物だったためか、45年5月、一帯を襲った「山の手大空襲」で大勢の人が逃げてきたという逸話が残っている。そんな店も、東京オリンピックを前に拡幅工事の影響で店舗面積が小さくなった。当時は自宅も店舗と一緒だったが、この工事の後、住まいを原宿に移した。

「道が広くなったから、道の向こう側との心理的な距離も遠くなったという思いはあったかも。当時は、こんなに狭い道路だったからお店同士の距離も近く感じていましたよ」

子供の頃は近所の老若男女が集う店で、絵本から雑誌まで幅広いラインアップを揃《そろ》えていた。時代は移ろい、彼女が中学生になると近くの会社員たちが昼休みに立ち寄るようになった。表参道界隈に会社が集まるようになったからだ。

80年代に入ると毎週金曜日に美容院の若手たちが待機していた。雑誌「ａｎ・ａｎ」の発売日だったからだ。こぞって雑誌を買い、店に持って帰った。

時代の先端を行くクリエイターも集まるようになった。表参道が文化の発信地になったからだ。

「店に一歩入ってくると、ぴーんと空気が張り詰めてねぇ。緊張感が漂って私には怖かったですよ」

客層が入れ替わったと実感するようになったのは、バブル期からだ。昔から住んでいた人たちが、郊外に引っ越し、代わりにショップ店員たちが訪れるようになった。

「だからね」と遠山は言う。

「街には歴史があって、子供の頃と今とでは全然違うんですよ」

2020年3月早々に、中国人観光客がごっそり消えた。やがて世界各国からの旅行客も消えた。表参道に拠点を構える、さるブランドショップの店員は「常連のお客様は『人が少ない分、ゆっくり商品を見ることができる』と言いますよ」と私に話しながら商品を包む余裕を見せていた。

そこからわずか1カ月である。4月7日の緊急事態宣言から、瞬く間に人通りは途絶えた。モードの雄「サンローラン」はディスプレイから商品をすべて撤退させ、並びの「アップルストア」も、休業を告げる日本語と英語の張り紙を出した。世界を席巻するグローバル企業のビジネスが、ウイルス一つで吹っ飛ぶ。まがまがしいまでの現実がそこにあった。老舗のように「それでも、やってくるお客様」のために続けようという発想とは違う論理があるように思えた。

書店から少し歩いて「表参道ヒルズ」の前に立つ。私がまだ学生だった時代、街のランドマークは同潤会《どうじゅんかい》アパートだった。その跡地にできた施設だ。歴史を振り返れば、スペイン風邪のパンデミックが日本を襲ったのは1918年から20年にかけてのこと。大きなダメージを受けた東京をさらに災難が襲う。23年の関東大震災だ。

同潤会は震災の義援金を元手に作られた財団法人で、ほぼ「行政」である。彼らは関東大震災からの復興を目標に都内各地に鉄筋コンクリート造りのアパートを建てた。都市住民への住宅供給だけでなく、東京に広がっていたスラム解消を目指していたという。100年前の東京は、それでも、都市に生きる人たちに手を差し伸べようとした。同潤会はその象徴的な存在である。古い建築物から、グローバルに展開するブランドが集まるショッピングモールになった今、その場に立っても同潤会の存在を思い出すことすら難しくなっている。同潤会ができてから約100年後の東京に、彼らのような意志を持った人たちはいるのだろうか。

先日、取材で知り合った都内在住の20代の女性から、少しトゲのある口調でこんなことを言われた。

「緊急事態に家にいられて、仕事もできるなんて勝ち組じゃないですか」

彼女の仕事はヘアメイクで、人と接することでのみ職業が成立する。表参道は仕事場の一つだった。人が行き交う表参道をバックに撮影する。そんな仕事から確実に減っていったという。家にいることが正しいとわかっていても、わずかな仕事があれば外出せざるを得ないのだと諦めていた。「正しい行動」を夢とするならば、夢を追いかけられない層が広がっているのが2020年の表参道だ。人通りが減れば、社会は停滞し、経済は追い詰められる。コロナ不況のしわ寄せがくるのは、彼女のような若い世代からだ。「家にいよう」と正しく呼びかけ、行動できる人々の対極に、自宅にいることが贅沢《ぜいたく》だと思う人々がいる。


街が移ろっていくように、商売にも浮き沈みはつきものだ。本はインターネットでも買えるようになり、本屋にとって追い風になるようなことは少ない。

それでも遠山が店を開けているのは、例えばこんなことがあるからだ。

戦後70年という言葉が新聞に躍っていた2015年前後の話である。「山の手大空襲」と山陽堂書店のエピソードを読んだという男性から不思議な電話がかかってきた。

「僕が中学生の頃、空襲がありました。石灯籠《いしどうろう》（現在もみずほ銀行前にある）に腿《もも》から下まで一本の足が立てかけてあったんです。あれは何ですか？」

「当時のことは体験した祖母や伯母からいろいろと聞いてはいますが、足の話ですか。うーん、何かまではわからないですね」

「そうですか……」

その日の会話はこれで終わったが、後日、男性は店にやってきて、ひとしきり当時の思い出を語った。それは男性がずっと胸の内に秘めていた小さな戦争体験だった。

「うちは古くからやっているから、この方みたいに昔の話をしてくれたり、うちの先祖が青山にいたらしいが何か資料はありますかと、訪ねてきてくれたりする人がいます。その話を聞くと街の歴史を知ることができる。これはお金で買うことができない価値なんです。これだから本屋はやめられない」

彼女の話は土地に根ざして、商売をやってきた者でしか語ることができない表参道だ。コロナ禍で確かに客足は減った。営業時間も短縮した。利益は上がらない。でも、と遠山は思う。

「地元の方がお孫さんに本を送りたいって注文しにくるんですよ。それが嬉《うれ》しくて。私が知らない戦前の表参道ってこんな静かだったのかなぁ、なんて想像しています」

もう戻らない日々

　ここはJR新橋駅である。周辺も含めてビジネスパーソンたちの憩いの場としても知られた街だ。私たちが新橋と呼んでいる駅は、開業当初は「烏森駅《からすもりえき》」と呼ばれていた。誰が、いつ、そう命名したかというのは、はっきりとわかっていないらしい。新橋の一角にひっそりと佇《たたず》む、烏森神社によれば、かつての江戸湾の砂浜で、一帯には松林が広がり、「枯州《かれす》の森」あるいは「空州《からす》の森」と言われていた。この松林には、烏が多く集まって巣をかけていたため、後には「烏の森」とも呼ばれるようになったという。

　いまは「森」の代わりにビルが林立し、「烏」の代わりに働く人々が街を闊歩し、夜になれば軒を連ねる飲み屋に足を運ぶ。１９４６年から彼《か》の地に75年続いた店が、その歴史に幕を閉じた。名前を「蛇《じゃ》の新《しん》」という。

　２０２０年３月27日——。暖簾《のれん》を掲げる最後の日も、店主・山田幸一《やまだこういち》はいつもと変わらぬ仕込みを始めていた。カウンターの一角に目をやると、ザルがある。アジに強めの塩を振り、ザルに並べて余分な水分を抜く。塩を水で洗い流し、酢で締める。こうして刺身の盛り合わせに並ぶ一品ができあがる。寿司屋《すしや》ではあるが、居酒屋としても利用できるメニューが並ぶ店でもあり、会社帰りの客でにぎわう。彼は東京に生まれ、東京で育った。この街の変化も見続けてきた。会社員の街・新橋は平成で大きく変化したという。

「失われた平成の30年ですかね。一番、大きかったのは。先輩が後輩を連れてきて、後輩がまた来てくれるっていうサイクルがなくなったよ。ここの暖簾を守るだけで精いっぱいになってしまってね。元気なうちに、常連の皆さんにさようならが言いたかったんですよ。ずっとかわいがってもらって、ありがとうって」

生来、職人気質《かたぎ》である幸一は、時々、へへへっと照れ隠しのような笑いを挟みながらぽつり、またぽつりと語った。彼が体感から語った、平成の変化はおそらくその通りである。

いまからほんの30余年前、平成が始まったばかりのころ、会社員の所得は増えるのが当たり前だった。1990年、会社員の平均給与は425万円、翌91年は446万円、92年は455万円（民間給与実態統計調査）と信じられない幅で伸びていく。バブルが弾《はじ》け、長期不況が始まった時でも、すぐに下がることはなかった。ところが最新、2020年は433万円で止まっている。

幸一の言葉を聞きながら、私はある大学教授から教えてもらったエピソードを思い出していた。彼が教鞭《きょうべん》をとるのは、東京の名門私立大学である。平成も終わろうというとき、就職活動を終えたゼミ生が言った。

「来年からサラリーマンです。新橋とかで酔っ払うことになるんだろうな」

おそらくゼミ生の頭にあったのは、週末の情報番組でカメラに向かって管を巻くサラリーマンの姿だ。それを聞いた、彼は冷たく言い放った。

「いまの時代、新橋で飲めるだけで結構な勝ち組だよ」

外から見れば勝ち組の街でも、冷たい風が吹く。私もまた、この停滞する時代しか知らない。私が知っているリアルは、所得が伸びなければ、人に構う余裕は生まれないということだ。

戦後の新橋は未来を担う若者たちが集う街でもあった。「蛇の新」は、新橋に立ち並んだ戦後の闇市から始まった。先代鐘幸は、愛知・一宮市出身で、戦前に両親と死に別れ、単身で東京に出てきた。彼もまた未来を夢見た少年の一人だった。

先代は八丁堀にあった魚屋「蛇の新」で自立の一歩を踏み出した。この魚屋は、簡単な寿司も出していたらしく鐘幸はそこで修業を積み、今の日本橋髙島屋の周辺で屋台の寿司屋を開く。仕入れは「蛇の新」で、魚に付加価値をつけるべく寿司を握った。商売の才覚もあった先代は、結婚をして八丁堀に家も構えた。そこに生まれたのが幸一だった。

1945年3月10日の東京大空襲で家は焼けてしまったが、徴兵から帰ってきた鐘幸はまた商売を始める。新橋で露店を開いたのだ。転んでもただでは起きない男である。終戦から間もなく、いまも駅前にあるニュー新橋ビルを経営する新橋商事がバラックを建てると宣言し、新橋周辺の整備計画に乗り出した。抽選で当たった露天商たちを集めて、商店が並ぶエリアを作るという。鐘幸も申し込んだが、外れてしまった。ところが、隣にいた露天商が本業に戻るからと言って入居の権利を譲ってくれた。1946年、新生「蛇の新」が誕生する。

「3坪くらいの小さな店でしたよ。親父《おやじ》は何でも作っていましたね。寿司屋って言っても、お米が手に入らなかった時代ですからね」


当時、NHKが内幸町にあり、近隣には東京新聞もあった。失明の危険性があるメチルアルコールを平然と出す店もある中、「蛇の新」ではまともな酒が飲めるという口コミが広がった。インフルエンサーになったのは、東京新聞で当時の人気小説家、富田常雄（代表作『姿三四郎』）を担当していた記者だった。

富田がやってくると、評判を聞きつけた太宰治や坂口安吾がやってきた。新聞小説で、挿絵を担当する画家たちもやってきた。当時の活況をエッセイストの矢口純が記した文章を、幸一が見せてくれた。何かの雑誌に書いたものらしい。

1948年、婦人画報社に入社したばかりの回想──「粗末な酒場に行くと、駆け出し記者の私にも一目でわかる著名な作家、画家、写真家、音楽家、ジャーナリストが、それこそ目白押しになって酒を飲んでいた。まことに壮観であった」。この「粗末な酒場」こそが「蛇の新」で、写真家の土門拳、江戸川乱歩に吉行淳之介といった作家たちがなぜか同じ時間帯にいた夜を矢口は懐かしそうに書いている。画家たちのネットワークに連なって若き日の岡本太郎もやってきた。鐘幸は若い表現者たちに優しく、色紙を書いてもらう代わりに酒を一杯、ご馳走《ちそう》した。店内に1952年11月6日に撮影したという写真と、「TARO」のサインが入った絵画が並んで飾られている。常連たちと一緒に納まっている岡本太郎と、彼がちょっと紙を貸してと言って、ささっと書いた「作品」だ。彼らにとって「蛇の新」は、夢を語り合う希望の場だった。

新橋駅前開発で、駅前にビルが建つことになり、仮店舗として現在の烏森神社沿いの店がオープンする。1968年、幸一が店の従業員として働いていた清子と結婚した年だ。清子は大阪・河内の商人の子供で、いまの羽曳野《はびきの》市で育った。

「商売は嫌じゃなかったね。カウンターでお客さんの話を聞くのも、私は好きだったよ」

清子は、最後の一日もいつもと同じように、幸一とは対照的に、大きな声で笑いながらカウンター越しにセイロで鶏焼売《シューマイ》を蒸し、フライパンで炒め物を仕上げていた。続々と訪れる客の応対も手馴《てな》れている。

「昔の思い出？　ちょうど結婚したばかりのころかな、三島由紀夫が来てたね。私が『あの人、三島さんに似ているね』って言ってたら、本人だったの。お店に『三島先生はいらっしゃいますか』って電話来て、びっくりしちゃったよ」

店の並びには三島が常連だった料亭「末《すえ》げん」がある。そこに行く前に立ち寄ったのだろうか。店の歴史が、昭和史とリンクする。

「よく僕が思うのは」と、仕込み中の幸一が口を開く。

「新橋はある時まで霞が関城下町だったんです。国鉄と銀座線が通っていて、官庁がある虎ノ門から新橋まで来やすかったんですよ。官庁があれば、営業だなんだで、そこに民間の人たちも通うようになる」

人が集えば、オフィスができ、飲みに出る人々も増える。時代は右肩上がりである。彼らは大いに飲んだ。１９８０年代に入り、女性の社会進出が本格化すると女性をターゲットに「酎ハイ」が売り出され、「蛇の新」にも女性がやってくるようになった。

閉店が近づいてきた、３月のある日、隣にいた常連客がこんな話をしてくれた。２０１６年に勤めていた印刷会社で60歳の定年を迎え、リタイア生活を謳歌《おうか》しているという男性である。新橋の思い出を聞くと、よくぞ聞いてくれたとばかりに滔々《とうとう》と語ってくれた。

「バブルの時代は、ここでお腹を満たしてから別の店に行ったんですよ。そこは旧大蔵省の官僚と、銀行の担当者が来る店です。彼らの言葉に耳をすますと景気動向がわかる。ここで先を見極めて、僕は株を買いましたね。新橋で景気良く飲んでいる会社の株は当たり株。結構、儲《もう》けさせてもらったな。あの感じ、わからないでしょう」

私はその話を苦笑まじりに聞くことしかできなかった。２０１１年の東日本大震災と福島第一原発事故、そして２０２０年を直撃したコロナ禍でも痛感したが、人が財布の紐《ひも》を緩める時は、未来への希望がなんとなくでもある時だ。そこに確かな根拠は必要ない。前の時代より、今の方が良くて、未来はさらに良くなる。無根拠な希望がそこにあるとき、人は大いに飲み、街に出て語り合う。

１９９５年の阪神大震災とオウム真理教事件、２００８年のリーマン・ショック、２０１１年、そして２０２０年。賃金は上がらず、数年ごとに「歴史的な危機」が訪れる。その度に希望が見えなくなる時代には沈黙が蔓延《はびこ》っていく。

「誇りは『蛇の新』の暖簾を守ったということです。三代目に継がせることはできなかったけど、僕は守りました。あとは女房に感謝です。２人で喜びも悲しみも共有できた」

幸一がしみじみとそんな話をしていた、と清子に告げると、彼女はくるりと幸一の方を向き、「もっと感謝しろ」と腰に手を当てて胸を張った。

最後の日、親子2代で常連だったという客は、父親の遺影とともにやってきた。ある人は花束を持参し、ある人は夫婦と記念写真を撮った。店が終わる午後11時を過ぎても、リタイア世代中心の常連たちは別れを惜しむように残っていた。そこに存在していたのは、タイムスリップしたかのような「昭和」だったのかもしれない。彼らの笑い声を聞きながら思う。停滞の中で「昭和」への憧憬《しょうけい》だけが強まる時代を自分は生きていたなと。会計を済ませて、店を後にした。もうこんな日々は戻ってこない。

外は2020年――本来なら令和に元号が変わり、華々しく1964年以来のオリンピックが開催される予定だった年、コロナ禍の新橋の夜である。マスク姿の人々が家路を急ぐ。人通りは普段の半分もなく、会話もない。SL広場には客引きの声だけが響き、酔客のコメントを取ろうとしていたテレビクルーはスマートフォンを眺めながら暇を持て余していた。

横丁の流儀

千葉県柏《かしわ》市で幼少期から高校生時代まで生活していた私にとって、最も身近な東京は上野、そしてアメ横だった。最寄りの柏駅から常磐線快速に乗って、約30分で着くという距離の近さもあって、父親は年末になるとわざわざアメ横に買い出しに出かけていた。年末の「気分」が味わえるというのが理由だった。

上野動物園や国立西洋美術館にも繰り返し足を運んだが、よく思い出すのは、父に連れていかれた年の瀬のアメ横だ。わざわざ人混みの中に出かけていく理由が子供にはよくわからなかったが、新型コロナウイルス問題でニュースが埋め尽くされる今となっては、その活気自体が一つの宝だったことに気づかされる。

私にとってアメ横とは、まったく洗練されてはいないが、しかし何でも揃《そろ》う街だった。食材はもちろん、店によってはセンスが良いものが揃っていた。戦後の闇市から彼《か》の地に店を構える「舶来堂」に行けば、都心では手に入りにくいはずのライダースジャケットがなぜか店の前に吊《つ》るしてあり――当時はもちろん買えなかったが――、掘り出し物のデニムも軒を連ねる店を回れば、どこかで手ごろな価格で手に入った。

子供時代の習慣というのは恐ろしいもので、30歳を過ぎてから、アメ横近くの憧れていた眼鏡店に足繁《あししげ》く通うようになった。

子供の頃から知っている街のせいか、大人になって通うと小さくない変化に気づく。一番の変化――。それは、小規模屋台タイプの飲食店の増加である。古くからの商店主だけでなく、外国人経営者も参入し次々と増えていった。ドネルケバブ、タピオカ、中華、日本酒と牡蠣《かき》……。グローバル化から最も縁遠そうなアメ横は、どういうわけか東京でも指折りの多文化共生が実現した街に変わっていたのだ。その理由を深く探ることもなく、アメ横を楽しんでいたが、ひょんなことから背景を知ることになる。

同じ柏出身の社会学者で、上野のフィールドワークを続けてきた五十嵐《いがらし》泰正《やすまさ》（筑波大准教授）が、『上野新論　変わりゆく街、受け継がれる気質』（せりか書房）という本を出した。それは私が、うっすらと抱いていた疑問に答えてくれる一冊だった。すぐに連絡を取った。五十嵐とは、２０１１年からの付き合いである。

彼は福島第一原発事故後、ホットスポットになってしまった柏で、地元農家、消費者、商店主をつなぎ、バラバラになってしまった地域をもう一度つなぎ合わせる活動をしていた。科学的な知見を大切にしながら、それを押し付けるのではなく、社会にとっての「納得」を大切にして言葉を選び、丁寧に合意形成を図ろうとする。言葉にすると簡単だが、誰もができそうで、実は誰にもできない貴重な仕事を彼は現場でこなしていた。当時、新聞記者だった私は五十嵐の活動を取材し、短いコラムで取り上げた。以来、何度かインタビューをしたり、取材時のアドバイスをもらったり、時に飲みに行ったりと付き合いが続いていた。

当時から彼の「本職」は都市社会学で、上野をフィールドにした調査をやっていることは聞いていた。「いつかは、その件も取材を」と話していたが、「いつか」はなかなかやってこなかった。五十嵐も福島をフィールドにした研究で多忙を極め、私もそちらの動向を追いかけることで精いっぱいだったからだ。上野の研究をまとめた単著が出たことで、やっと「いつか」が叶《かな》ったことになる。上野の街づくりにも関わる五十嵐に、時候の挨拶《あいさつ》のように新型コロナ問題について聞くことからインタビューがはじまった。

人の往来による「にぎわい」が支えとなる街にあって、人と人が交流すること自体が科学的にも、社会的にも許されないものとなった。そんな街をどう見ているのだろう。

「アメ横は外国人観光客をかなり取り込んでいたんですけど、短期的にはこの売り上げが見込めません。しばらくは厳しい時期が続くでしょうね」

とはいえ、五十嵐の予測は厳しいものばかりではない。アメ横が「アメ横らしさ」を保つ可能性もまた見えてきたのではないか、と彼は言う。鍵を握るのは、グローバルかつ多様性に富んだ街に変化していった都市の柔軟性だ。五十嵐の真意を知るために、まずアメ横という特殊な街の成り立ちから見ていこう。

彼の調査に対し、アメ横の商店主たちは一様に「アメ横には歴史がない」と語っている。そもそも、アメ横の始まりは戦後である。広大な空き地になっていた今のアメ横エリアに、舶来堂のような商人たちが集まり、闇市が形成された。戦後も70年が過ぎた今となっては結構な歴史があると言っても良さそうなものだが、上野周辺には江戸時代にまでルーツを辿《たど》れる商店街が残っている。それに比べて後発のアメ横は「歴史がない」のだ。

それと同時に、由緒「正しくない」、ネガティブな歴史も背負っていることも大きい。闇市には、日本のヤクザだけでなく、在日コリアン、在日華僑《かきょう》が入り乱れて商売をしていた。とにもかくにも売り上げを残したものが生き残れるという環境にあって、「在日韓国・朝鮮人に若干の在日華人もあわせて、いわゆるオールドカマー外国人の商店主の割合が、上野の各商店街のなかでも常に高い」（五十嵐）街になった。

格調高い伝統ある商店街ではなく、闇市的な雑多さと、「歴史がない」と割り切って商売に徹するというアイデンティティーがアメ横を支えてきた。在日コリアンたちへの差別や偏見が、現代よりもはるかに強かった時代から、アメ横は共生を選んだ。

これは差別的な目が全くなかったということではない。大なり小なり問題はあっただろう。決定的だったのは、この街では「商売」の論理が優先されていたということだ。五十嵐の調査で印象的な言葉がある。

１９５０年代生まれの商店主の言葉――「ここは外国人のお店が入ってきてどうこういうのは一切ないですね。（中略）誰が何をしようが迷惑をかけない限りはいい」

この言葉に、アメ横の流儀が詰まっている。商売をする「隣人」は誰であってもいい。格式や伝統も求めないし、入れ替わってもいい。外国人経営者たちによる飲食店が集まり、マーケットを形成するのも一つの帰結であり、彼らは結果的にそうなってしまった現実を受け入れ、折り合いをつけている。

五十嵐も指摘しているように、外国人経営者と旧来からの商店主との間に問題があることも真実だ。商店街の自主的なルールを無視した野放図さは新たな問題を生んでおり、彼らとの間にコミュニケーションの回路もないという。だがそれでも街並みの変化は、訪れる人――私もその一人だが――にとって、新しい魅力になっている。五十嵐は言う。

「アメ横を多様性に富んだ街にしようとか、ダイバーシティを大切にしようだなんて誰も思っていなかったのに、結果としてダイバーシティが実現してしまった街。それがアメ横なんです。当然ながら現実には摩擦も起きます。意識が低く、だらしなく実現した多文化共生ですが、隣人を追い出せという話にはならない」

ヘイトスピーチのような、生まれ育ちをあげつらい、「国へ帰れ」という思考回路ではない。お互いが気持ちよく商売できれば、ここでは大抵のことが許される。常に変化し、雑多で、猥《わい》雑《ざつ》であるがゆえに生まれる活力とダイナミズム——。緊急事態下のアメ横でも、それは変わっていなかった。

2020年4月、新型コロナ第一波のアメ横は、マスクとアルコール消毒液が売られる街へと変化していた。外国人経営者の屋台をはじめ、多くの店は閉まっており、人通りは当然ながら少ない。それでも路地には、品薄なはずのマスクとアルコール消毒液をどこからか入手し、販売する業者が何人もいた。店を開けることを選択した魚屋にも、マスクの在庫を謳《うた》う張り紙がある。彼らが持っているルートを駆使して、今が商機と、人々が欲しているものを集めてきて、売る。ここぞとばかりに窓を全開にして、換気をアピールしながら営業を続ける飲食店もあった。行政が「自粛要請」を出してはいるが、得られる補償が想定していたよりも低いとなれば、こうした形で商売を模索する人々も出てくるだろう。彼らの選択を非難したところで、何も始まらない。事実、彼らは人々の役に立つものを売っている。危機をも商機に変えていく商売人の街ならではのしたたかさが垣間見える、といったところか。

五十嵐にこんな質問をしてみた。新型コロナ問題を受けて、アメ横はどう変化していくのか。まず大前提として、2000年代以降、小売業界に二つの大きな潮流があったことを押さえておく。第一にインターネットであり、第二に体験にお金を払うコト消費の流れだ。

アメ横でも2000年代に入り早々に、インターネット通販に販路を見いだしている店が出てきていた。

「実店舗はショーケースのようなものと割り切って営業」し、主軸はネット通販に移行していた店がある。こうした業態の店舗は売り上げ減少を最小限に抑えることができるだろう。

問題は後者だ。アメ横という国内外から観光客が押し寄せる一大スポットで、屋台のように「体験をサービスとして売る方向に変化した」店はしばらく厳しい戦いが続くこと、これは誰の目にも明らかだ。それでも、と五十嵐は言う。アメ横の魅力が失われる大きな危機があるとするならば、新型コロナではなかった……。

彼が考えていた大きな危機とは、「より合理的で、システマチックな街にする再開発計画」が進行することだった。東京の他地区の再開発のように、人通りが多い「どこにでもある」商店街に変貌することもありうると見ていたからだ。

「人が移動し、集まること自体が危険だとされる。それは都市の機能そのものがリスクだと言われているのと同じです。今の状況で、アメ横を再開発しようという人はいないでしょう。新型コロナの危機によって、逆にアメ横が守られる可能性が高まっているということもできるのです」

インバウンドが落としていった利益は当分の間見込めないが、「アメ横」の活気を望む人は国内に残っている。結果的にダイバーシティが実現してしまったように、商売の論理を貫くことで、この街は変化していくことができるだろう。それもポジティブな方向に。横丁の流儀は、したたかで、しなやかで、強い。

洋ちゃんが死んだ

一人の老人が死んだ。事実を並べれば、そう伝えるだけで事足りる。だが、一人の人間の死には、語るに値する人生がある。それは誰であっても——。

洋ちゃんの死が伝えられたのは、2020年が始まってまもない1月のことである。82歳という年齢を考えれば、その死は決して珍しいものではない。総務省の統計によれば、2019年時点で80歳以上の人口は1125万人に達し、総人口の8・9パーセントを占めている。彼は1125万人の中の一人だ。

洋ちゃんの死が新宿二丁目に少なくない衝撃を与えたのは、新千鳥街の一角で1970年代初頭から営業する小さなゲイバー「洋チャンち」の店主であったこと、そして2020年年頭の時点で二丁目「最古参」と呼ばれていたからに他ならない。

新宿二丁目のルーツは、事実上、売春が公認されていた旧赤線地帯にある。1958年の売春防止法全面施行で一気に、廃れかけた街になった。そこに活路を見出したのが、ゲイバーの店主たちで、1960年代後半にかけて店は増えていく（伏見憲明『新宿二丁目』新潮新書などによる）。現在、東西に約300メートル、南北に約350メートルという小さなエリアに300とも400とも言われるLGBT関連の店が密集している。そんな街は世界中を見渡しても、そうそう無いのだと集う人々は口にする。

「ちょうど初めて新宿二丁目に行ったのは、1971年前後だったかなぁ。昔は二丁目に行くこと自体のハードルが高かったよ」。そう語るのは、長谷川博史である。1952年、長崎県島原半島の小さな村に生まれた。かつてマツコ・デラックスが働いていたことでも知られるゲイ雑誌「バディ」を立ち上げた名物編集者であり、HIV陽性者として、1992年に感染がわかってからすぐに実名と顔を公表し啓発活動に取り組んできた人物だ。

長谷川にとって、二丁目が憧れの街になったのは高校生の時だった。兄が読んでいた雑誌「平凡パンチ」で特集が組まれており、二丁目の存在を知る。そこに登場していた「クロノス」のクロちゃんの姿に心を鷲摑《わしづか》みにされ、自身の性的指向も同時に知ることになった。長谷川は、進路希望を熊本大学の理系から、東京の私立文系に変えた。数学の成績が伸び悩んでいたという事情もあったが、それ以上に「二丁目」への憧《あこが》れが進路変更のモチベーションになったという。一浪の末に慶應義塾大学に進学したが、二丁目にはなかなか行けなかった。

「貧乏学生だったから、バーって高いってイメージがあった。だから最初は渋谷のハッテン場（同性愛者が出会う場）だった名画座で度胸をつけて、ちょっとずつステップを踏みながらたどり着いた」

一歩、二丁目に入れば、身分も本名も明かさずに飲み、相手を探すことができる夢のような空間だった。長谷川は〝先輩〟たちから夢の空間を保つ作法を教わっている。

「いい、名前を聞かれたらヒロシです、でいいの。昼の仕事も本名も簡単に教えちゃダメだからね」。だから顔は知っていても、本名を知る相手は少なかった。

憧れていたクロちゃんは言った。「この街にヒロシもいっぱいいるけど、あんたは顔がよくないからブスのヒロシね」。通り名が決まれば、それ以上の深入りをしないのが、二丁目の作法だった。

ＬＧＢＴへの抑圧も偏見も差別も当然ながら、今より強かった。当時はゲイも「結婚し、家庭を持ってこそ一人前だ」という時代だった。長谷川にこう語って聞かせたゲイは、実際に自分だけでなくパートナーも女性と結婚しており、子供もいて家族ぐるみで付き合っていた。ここまで関係を持てば、2人で飲みに行っても怪しまれることはない。徹底的にカムフラージュしながら、二丁目に通う。彼らのような人は珍しくなかったという。

一方で、逆説的ではあるが長谷川は当時の二丁目に充満していた熱気も知っている。「1960年代から70年代は、ある意味で二丁目の全盛期だったかもしれない」。性的な刺激に満ちていただけでなく、新しい文化を生み出す街という一面もあったからだ。同性愛を真正面から扱った『仮面の告白』で一躍有名作家になった三島由紀夫が出入りしていたのも有名な話で、街には様々な逸話や浮名があふれていた。フランス現代思想をリードしたミシェル・フーコーや、ロラン・バルトといった思想家が、来日時にお忍びでやってきた。そんな話も広まっていた。シーンには「奇妙なシンクロニシティー」(長谷川)があり、独特の魅力と活力に満ちていた。

同時代のニューヨークにはゲイを公表していたポップアートの巨匠アンディ・ウォーホルの周辺に、クリエイターが集まった。同じようにゲイを公表していたフォトグラファー、ロバート・メイプルソープが男性のヌード作品を次々と発表していた。

日本では三島、そして劇団「天井桟敷《てんじょうさじき》」を主宰した寺山修司の周辺に性的マイノリティーの表現者が集まっていたと長谷川は言う。そこに矢頭保《やとうたもつ》という写真家がいた。三島のヌード作品で知られ、日本においても男性ヌードというジャンルを切り開いていた。三島は彼の写真をこう評していた。

《1969年、「裸祭り」という写真集が出版された。矢頭保が二十数カ所で撮った145枚に、三島由紀夫が長行の序文を寄せている。「生命にあふれた男性そのものに立ち還り、歓喜と精悍さとユーモアと悲壮と、あらゆるプリミティヴな男の特性を取り戻してゐる」》（2014年5月2日付朝日新聞）

芸術かわいせつか。同時代には議論を巻き起こしたメイプルソープの作品は、今では一級の芸術作品として評価され、影響を公言する写真家が次々に現れている。では日本はどうか。長谷川の思いは深い。

「日本にもゲイカルチャーが確かにあったよ。僕には矢頭さんの作品は、メイプルソープよりゲイ的なエロスが充満していたように感じられた。そこに注目した研究はあまり多くはないけど、文化を支えていたのはゲイ産業だよね。バーや雑誌がまさにそう。狭いお店に、みんなが集まって話をしていたから、文化的にも濃密なものが生まれる」

洋ちゃんもそんな文化を支えてきた一人だった。浅草のゲイバーで使い走りから始まり、わずか2・5坪の店を開けながら、この街の変化を見つめ続けてきた。チャーミングな人だった。長谷川が新宿の蕎麦屋でたまたま会ったときのことだ。お互い少し離れて座っていたところ、従業員が長谷川の頼んでいない蕎麦を持ってくる。

「これは、あちらのお客様からです」

「洋ちゃん、バーじゃないんだから」と苦笑しながら、蕎麦を手繰《たぐ》る。

長谷川は、そんな洋ちゃんの声を記録したものがあまりにも少ないことを後悔している。戦後を最初期から知る人々は次々と鬼籍に入る。誰にも語らず、残さないことを美学としているかのように……。


2020年6月、「洋チャンち」の看板は残っていた。黄色の地に黒の太字でシンプルに店名だけが書かれた看板である。残されたのは、引き継ぎ先がすぐに見つかったからだ。

「勢いだけでやりますって言ったんですよね。洋ちゃんと直接の面識はないし、何もしなくても二丁目は人気だからすぐに店は決まったでしょう。でも、それだとお店の歴史ごと無くなっちゃうんですよね」

引き継ぐと言ったのは、「ゴンちゃん」こと松中権《まつなかごん》である。このとき44歳で、もう人生の半分を「二丁目」とともに過ごしてきたという。元電通社員であり、今のＬＧＢＴ運動をリードしてきた一人でもある。長谷川が作った雑誌も読み、彼とはいくつかの活動もともにしてきた。この話を聞いた時、長谷川も驚いたと語っていたが、最も驚いたのは口に出した当の本人だろう。

ことの経緯はこうだ。たまたま、この店の担当不動産会社が、自身が関わっていたプロジェ

洋チャンち
香まり
++ Kamari ++

クトで面識があった「フタミ商事」だったこと。たまたま日本の性的マイノリティーのライフヒストリーを集める企画に関わっていて、半世紀続いた店に興味をもったこと――。

いくつかあった小さな点が、この時いきなり線としてつながってしまった。気がつくと、松中は店の片付けを手伝い始めていた。

看板が残っているだけで、20年以上この街に通う彼でもまったく知らない常連たちがふらりとやってきて店や街の思い出をひとしきり語って帰っていった。おそらく本当に知っている人にしか明かすことができなかった秘密を、店のなかにいたからという理由で語る人々がいた。この街には、本人だけが秘めている歴史がある。記録にも残っていない、記憶だけの歴史がある。1月に引き継ぐことを決めてからというもの、彼にとっては気づきの連続だった。

路面に向けて設置してあるすりガラスも、小さな入り口もプライバシーを守るために必要な仕掛けだった。外から見つかりにくく、誰がいるかもわからないが、光と人間の影だけで開いていることと、人の在不在を伝える。もう少しばかり広い視野から、こう考えることもできる。小さな店がずらりと建ち並ぶ新千鳥街というエリアそのものが、匿名《とくめい》になり街に紛れ込むことができる空間だった。これだけ店があれば、誰かに気がつかれるリスクはぐっと低くなる。どこかの店にさっと入ってしまえば、あとは誰にも見られることなく、店内で語られる話は口外されない。それは、自分を隠す必要がないという安心感を生み出す。

思えば、松中にとって二丁目は22歳にして初めて自分に嘘《うそ》をつく必要がないことを教えてくれた街だった。彼はこんなことを書いている。

《友人ができ、喧嘩もし、恋をして、恋に破れ、悩みを語り、未来を語る。（中略）ただそれだけのことが、当たり前にできない社会だから。新宿二丁目が必要だったし、今も必要なのです》（2020年5月5日付ハフポスト日本版）

ゲイであることに気がつきながら、大学生までゲイであることに悩み続けた彼の人生を救ったのは、二丁目の歴史だった。あるいは、彼が関わってきた運動のベースになっていたのも、歴史だった、と言えるのかもしれない。

本当なら4月オープンの予定だった新生「洋チャンち」は、新型コロナウイルスの影響でオープン自体を延期することになった。クラスター発生が懸念されている「夜の街」でもある二丁目では、閉店を選ぶ店も少しずつ出てきた。その中にあって、営業再開を模索する店主たちは、自分たちで感染症専門医とともにガイドラインを作り、守るよう呼びかける活動を始めた。だから彼らは彼らで自発的に動き出した。

新千鳥街の一角にあるわずか数坪のバー「香まり」——。一ノ瀬文香はタレント業とバーの経営者という二つの顔を持つ。「異セクシュアリティ交流」を掲げる小さな店は、まさに「密」

な状況が生まれやすいが、店員のマスク着用、そして換気の徹底などを心掛けながらの再開を決めた。彼女は6月の営業再開を前に従業員にメールを送り、対策の徹底を呼び掛けた。

《(香まり　コロナ対策)

・お客さんが来店されたら「アルコールが入っているウエットティッシュで手を拭いてもらう」か、「お手洗いの洗面所に備え付けてあるせっけんで手を洗ってもらう」、どちらかをすることをお願いしてください。

・(通常時と同じですが)換気のために営業中、必ず入り口のドアを開けっ放しにしておいてください。その上で空調はエアコンで調整してください。また、換気扇2カ所は24時間、稼働させておいてください。》

一躍「時の人」となったある感染症専門家は、インタビューで「一般市民」には感染が広がっていないと言い、「それ以外の方も繁華街などに集積した感染者ばかりです。性的に男性同士の接触がある人も多い」ことが判明したとされる「ファクト」を語った。わざわざ特定の性的指向に言及したこと、それも「一般市民」と対比させたことの問題点を、感染症対策の専門家と呼ばれる医師や医療従事者もさらりと受け流していた。

当事者たちがこれまで培《つちか》った保健所や行政とのネットワークを通じて調べたところ、件《くだん》の専門家が語ったような事実は一切確認できなかった。東京都内の繁華街などでゲイコミュニティーの間でクラスターが発生し、感染が広がったということはなかった。繁華街、夜の街、3密が発生しやすい環境はただでさえ偏見の対象である。仮に二丁目でクラスターが発生すれば、メディアは好奇の目を向けるだろう。それでも再開する理由はある。

松中はすりガラス越しに街へ目を向けながら、そっとこんなことを言った。「僕たちのコミュニティーにとっての安心感は、この空間がもたらしてくれるものです。だからこそ自分たちで対策をして、お客さんと一緒に空間を守っていかないといけない」

3密の密は、秘密の〝密〟であり、濃密の〝密〟でもある。人が集う密からしか生まれない文化があり、密を守ることで救われてきた人がいる。将来はここをどんな店にしたいの、と松中に聞いた。歴史あるカウンターの中に座る彼は、少しだけ間をおいて言った。

「洋ちゃんの思い出を通じて、昔と今と歴史をブリッジする。かつてのお客と新しいお客の交流が生まれていく。そんなお店になればいいなって思っています」

消えた歓声

２０２０年７月、両国国技館から酔っ払いと歓声、そしてヤジが消えていた。これが「新しい生活様式」に基づく、「新しい観戦スタイル」なのかはわからないが、とにもかくにも異例中の異例とも言える歴史的な七月場所である。２０２０年の経緯を簡単に振り返っておこう。新型コロナ禍で、３月開催の春場所は終戦直前の１９４５年６月の夏場所以来、二度目の一般非公開開催となった。５月開催の夏場所は旧両国国技館の修理が遅れた１９４６年夏場所と、八百長問題が原因の２０１１年春場所に続き戦後三度目の中止となり、７月の名古屋場所は国技館開催となることが決まった。11月の九州場所も同様、国技館開催である。終戦から75年を前にすぐに戦中、戦後初期とつながるのが、いかにも長い歴史を誇る大相撲らしい。

異例の経過をたどる中で開催が決まった大相撲は、入口からして厳戒態勢だった。連日、新型コロナの感染者数が速報され、東京では感染の再拡大が続いている。入口に掲げられたポスターで呼びかけられているのは、マスクの常時着用、飲食をなるべく控えること、大きな声での声援と飲酒の禁止だった。酒は持ち込みも禁止され、国技館名物の焼き鳥をつまみに、昼間からビールを飲むという行為自体ができなくなった。その結果として館内から酔っ払いは消えた。最大で4人座れるマス席は一人しか立ち入ることを許されず、かつソーシャルディスタンスを保つために真ん中に座ることが求められている。感染者が出た場合に備え、チケットの半券は2週間の保管が必要で、もし感染者が出た場合、近くの席に座っていた観客には協会からすぐに連絡が行く旨まで記されていた。入場時の体温チェックは当然のようにあり、アルコールによる手指消毒の徹底だけでなく、いかに国技館が徹底的な清掃と消毒をやっているかをアピールするための写真付きの貼り紙が館内至るところに貼られている。

鳴り物入りで始まった接触確認アプリ「ＣＯＣＯＡ」の導入呼びかけのポスターもあった。すべては新型コロナ対策である。客席を見渡すとそれでも多くの席は確実に埋まり、館内では誰もがマスクをつけていた。

多くの観客たちは相撲協会の求めに応えて、感染リスクを下げた形で観戦することを選んだ。言い換えれば、多少これまでと観戦の仕方が違っていても、大相撲が開催されていることそのものを選んだ。こうした観客がいることが、大相撲最大の強さなのかもしれない。私は国技館に『叱られ、愛され、大相撲！』（講談社選書メチエ）という本を持っていった。大の相撲ファンである目白大学の教授、胎中千鶴《たいなかちづる》が大相撲の歴史をたどった一冊だ。これを読むと、なぜ大相撲が危機の時代であっても、開催を続けてきたかがよくわかる。

先に、一般非公開開催は１９４５年６月場所以来だったという事実を紹介した。大相撲は確かに傷痍《しょうい》軍人らを招待し、６月に旧国技館で規模を縮小しながらも開催している。１９４４年2月に国技館そのものは軍によって接収され、風船爆弾の工場になっている。１９４４年の夏場所は後楽園球場で開かれた。そして、何より１９４５年3月10日の東京大空襲により国技館の周辺、下町エリアは壊滅的な被害を受けている。死者は10万人超という。１９５４年に発刊された『都政十年史』は大空襲の様子をこう伝えている。「隅田川をはさんだ下町一帯は全く火の海と化し、最後まで防火にあたろうとした人々は煙にまかれて逃げ道を失い、白髭橋《しらひげ》から吾妻橋《あづま》にかけて道路といわず川のふちといわず、焼死者の屍《しかばね》がるいるいと横たわるという惨状を現出した」

旧国技館も残ったのは特徴的なドーム型の屋根だけでガラスは吹き飛んだという。ほとんど廃屋同然となった国技館で、しかも現役人気力士にも犠牲者が出る中で、なぜ6月に開催したのか。胎中によると、開催そのものは協会の意向ではなく、軍部の意向によるものだった。胎中は第28代木村庄之助の後藤悟が生前、『おすもうさん』（高橋秀実《ひでみね》、草思社）の中でインタビューに答えた言葉を基に、考察を深める。軍部の狙いは、当然ながら一般国民には向いていない。彼らの狙いは取組を短波ラジオに乗せて、中国や南方戦線にいる兵士たちに向け、「内地では変わらずに相撲をやっている」とアピールすることにあった。

南方戦線ではこんな出来事も記録されている。オランダ軍が放置した短波ラジオを手に入れた日本軍の兵士たちは、スポーツの中で唯一、NHKのラジオ放送が許可されていた大相撲を、雑音も入る中、耳を押しつけるようにして聞いていた。彼女は、皇軍慰問で前線を訪れた力士たちが一番喜ばれたのは、兵士たちの飛び入り参加の時だったことも明らかにしている。子供に戻ったように力士に力比べを挑む兵士たち。ラジオを聞いた時、兵士たちは何を思うのだろう。軍の上層部の狙いにあった「国威発揚」は、最前線には届かなかったと考えるのが妥当ではないか。上の狙いとは別に、「下」の兵士たち、大衆である兵士たちは大衆娯楽としての大相撲を受け入れていた。危機のなかにあって、相撲は常に日本の社会とともに生き続けていた……。

土俵の上でも、新型コロナ禍での開催を改めて思い起こさせる取組が続いた。高田川部屋に竜電という力士がいる。今時、珍しく中学卒業と同時に角界入りした叩き上げの力士である。若い時から好角家の期待を集め、一時は将来の横綱候補という呼び声も高かった。この年5月

13日に新型コロナウイルスの感染で亡くなった勝武士《しょうぶし》は彼の付け人を務め、しかも山梨県甲斐市・竜王中学校柔道部の1年後輩でもある。高田川親方が最初にスカウトしたのは勝武士で、その時、偶然にして目に留まったのが竜電だったという。

沈黙を保っていた竜電は、6月30日に部屋のブログを更新した。「今日は勝武士が旅立ってくれてると思います。これからも勝武士と共に戦い、邁進《まいしん》していきます」四十九日です。幼い頃からあたりまえのように近くに居た勝武士は今も変わらず見守ってくれてると思います。これからも勝武士と共に戦い、邁進していきます」

竜電は初日こそ白星を挙げたものの、序盤で4連敗を喫していた。6日目に阿炎《あび》に勝ち、連敗を止めたが、これ以上の負けはもう許されない。そんな中で迎えた7日目の一番だった。対戦相手は石浦だ。観客席が静かなせいもあり、ぶつかりあう音がよく響く。石浦の低い当たりを受け止めた竜電は、すかさず右の上手を取った。相手の動きを封じ込め、うまく回り込み上手投げで勝利を収めた。その瞬間、彼は土俵の上でほんの少しだけほっとしたような表情を浮かべ、軽く右手を握った。控えめだが、勝利の安堵感《あんどかん》はこちらにも伝わってきた。亡くなった勝武士への思いからなのか、自身の白星を喜んだのかはわからないが、並々ならぬ決意と何かを背負っている者にしか出せない表情がそこにあった。

前日、その竜電に敗れた阿炎の休場を告げるアナウンスに、場内から「えっ」という声が聞こえてきた。後ろに座っていた男性が「会食なんだって」と理由を教えてくれた。後から場所中にキャバクラに通っていたという事実が一斉に報じられ、批判にさらされることになった。私は「夜の街」、ホストクラブやキャバクラを営業すること自体が悪だとは全く思わない。一般の会社以上に丁寧な感染防止策を取って営業を続けている人たちも確実にいるからだ。彼が行ったとされる店が、どのような感染防止策を取っていたのかがわからない限り、安易な批判はできない。阿炎が批判されるとするならば、相撲でお金を稼ぐプロである以上、場所中に少しでもリスクを引き上げるような行動をとるべきではないという一点に尽きる。相撲協会のガイドラインには「不要不急の外出を自粛する。近隣以外への緊急な外出や必要な外出は、師匠が協会に相談した上で行う」とある。

誰もが感染する可能性があると同時に、誰もがクラスターの引き金になる可能性がある。激しいぶつかりあい、組み合いが避けられない大相撲で「数パーセント」に該当する力士が出てくれば、観客を入れて開催を決断した早々、もう一度中止を検討する事態になる。場所の中止だけなら決断は簡単だが、この先の再開の決断はさらに難しくなることは確実だ。

今場所で、協会も、多くの力士たちもリスクを低減して大相撲を続ける道を選び、観客たちもそれを支持した。戦中の「下」の兵士たちと同じように、危機の社会にあって大相撲が「ある」ことを望んだ。そう言ってもいいだろう。リスクを語るとき、そこに絶対的な「安全」というものは存在しない。感染症対策を徹底したいのならば、日本に住む全員が家の外に出ることなく人と人の交流を避けて、感染者をゼロにするまで自粛を続け、どこかで感染者が出ればまた自粛という道を続けるのが一番だ。だが、それは「社会の死」だ。

ゼロか100かではなく、その間に広大に広がるグレーゾーンの中で、感染症対策と社会活動を判断することが当面は必要になってくる。いつか大相撲はかつてのような形で開催できるだろう。だが、今は難しいとするならば、どういう形ならば開催できるのか。歓声を消してもなお、観客と一緒に「社会の中に相撲があり続ける」ことを選んだ大相撲は、リスクと向きあう一つの形を示したのかもしれない。

全ての取組が終わった静かな国技館に、ただ拍手の音だけが響いていた。

Do You Remember Rock 'n' Roll Music?

ロックでもヒップホップでも、アイドルでもいい。音楽に人生を救われた経験を持つ人々にとって、ライブハウスはかけがえのない居場所だった。音楽はいつだって「私」を幸せにしてくれた。どうしようもなくうまくいかないことがあっても、ライブハウスにいる時間はすべてを忘れて楽しむことができた。そこで音楽が鳴り響かないということは、人生の一部が消えることと同じ意味を持つ。

そう、問題はライブハウスである。今では第一波と呼ばれた2020年の春、政治家と専門家は口すっぱく「ライブハウス」に行かないよう声を上げてきた。ライブハウスは「3密」が発生し、集団感染も起こしてきた。他の店が再開できたとしても、感染が起きやすい空間なのだから行かないでほしい――。そんな「要請」が何度も繰り返された。当然、その影響もあったのだろう。緊急事態宣言が明けたばかりの下北沢は、すっかり静かな街になっていた。

人通りは多少戻ったと小さなカフェの女性店員は話していたが、往来しているのはおそらく地域住民ばかり。そのカフェもソーシャルディスタンスが保てない、という理由でテイクアウトが主流になっていたが、売り上げは落ちたままだという。

下北沢という街に冠される言葉は少なくない。「若者」「演劇」「サブカルチャー」そして、「音楽」だ。下北に初めてできたライブハウスは、業界では「ライブハウスの父」と言われる平野悠《ひらのゆう》が開いた「LOFT」というのが通説である。時は連合赤軍事件（1972年）からわずか3年後、「政治の季節」が終わり、サブカルチャーと若者がまた結びつく。そんな時代だった。下北のLOFTでは、上京して間もない若かりしタモリのライブが開かれ、サザンオールスターズ、細野晴臣、中島みゆきといった今となってはレジェンドクラスのミュージシャンたちが集った。

1975年が分岐点となり、やがて下北沢は音楽の街として認知されるようになっていく。もうなくなってしまった「屋根裏」、今でもその名が知られる「SHELTER」といった有名ライブハウスが軒を連ねた。最初は地域住民との間に騒音問題も起きていたようだが、時間をかけて、少しずつ「街になくてはならない」存在へと変わっていった。

下北沢では比較的新しい2009年開業、11年にリニューアルオープンながら、エリア最大のキャパシティーを誇るライブハウス「下北沢GARDEN」――。20年6月に予定されていたライブ日程が入り口に貼られていたが、軒並み公演中止もしくは延期が告知されていた。経営する井上哲央《いのうえてつお》は本来は客がいるはずのフロアに置かれた椅子に座った。そして、「オープン以来最大の危機ですね」とさばさばした口調で語る。「ある程度、営業ができなくなることは覚悟していましたよ。大阪のライブハウスでクラスターが発生した以上、名指しされるのも仕方ないと思っています。このままだと6月はまだ乗り切れても、7~8月で資金繰りがうまくいかなくなって、潰《つぶ》れるライブハウスがもっと出てくるでしょう」

この年4~5月の売り上げは激減という言葉では説明できない。ほぼなくなった、こそが正確な表現である。6月も貼り紙にある通り、ライブは中止ばかり。何もしなくても数千万円単位で、固定費ばかりが出ていくことになる。スタッフを抱えている井上は、とりあえず申し込めるだけの融資を申し込み、資格を満たしている給付金申請などキャッシュの確保に奔走した。

彼の名刺は片面ずつ、違う肩書が書かれている。井上の名は、むしろ数々のミュージックビデオ（MV）の世界で知られている。検索すればアイドルから、通好みのパンクバンドまで幅広く撮影した作品が出てくる。

静岡県出身で進学を機に上京した井上にとって、下北沢は音楽に打ち込んできた学生時代にも住んでいたことがある、思い入れのある街だ。基本は今と変わらない。学生、音楽や演劇といったサブカルチャー関連の人々がごちゃごちゃした街を闊歩《かっぽ》していた。

早々にプロの道を諦めた彼は社会人になり、映像の世界から音楽に接近していった。それは意図したものではなかった。たまたま手がけた、パンクロックバンド「ｅａｓｔｅｒｎ ｙｏｕｔｈ」のＭＶが業界で話題になった。そこから「うちも撮ってくれないか」と声が掛かるようになり、撮影をする。その作品を観たというミュージシャンや音楽事務所からいくつかオファーが舞い込む。「あれを観て、調べてみたら……」と仕事が仕事を運んできた。

彼の価値観は職人のそれだ。ミュージシャンと馴《な》れ合うわけでもなく、一定の距離を保ちながら多くの人が納得し、満足いく作品を作った。やがて超がつく有名ミュージシャン、大手事務所も含めオファーが絶えない引く手数多《あまた》の作り手になっていった。音楽で飯を食えるようになりたいという一人の若者の願いは、かくして別の形で叶《かな》うことになるのだった。

そんな井上が40歳を過ぎて開いたのが、このライブハウスだ。ここに一つのデータがある。日本レコード協会によると、ＣＤの生産枚数の推移は１９８４年以降、一貫して増加傾向にあったが、１９９８年の４億５７００万枚をピークとして減少傾向に転じた。２０１６年にはついにピークの半分以下にまで減った。ＣＤが売れないのだから、ここに頼ってはいけない。むしろ、ライブを軸にした体験型のビジネスモデルを確立しなければいけない。そんな声が高まっていったのが、２０００年代以降のトレンドだった。ＣＤの時代、その先の変化も知る彼が、どうして店を開いたのか——。そう質問を投げると井上はしばし考え込み、ステージを見ながらこんなことを言った。

「どうしてか……うーん、何でしょうね。確かに音楽業界の大きな流れに乗ってはいます。これは間違いないんです。だけど、僕にとって大事だったのは自分の人生はこのままでいいのかってことだったと思います。40歳を機に新しいことをやりかった。ほとんど勢いで決めました。やってみてよかったと思いましたよ。ＭＶの仕事とはまた違う層のアーティストを見ることができるし」

思い出深いのは、２０１１年のリニューアルオープンからの半年だ。こけら落としは、ＭＶを手がけてきた縁もある甲本ヒロト——彼は下北沢の中華料理店でアルバイトをしていたことがある——、真島昌利が率いる「ザ・クロマニヨンズ」が務めた。最高のロックンローラーだ。これもＭＶを手がけたつながりで、この規模のライブハウスに立つことが滅多《めった》にないＣｏｃｃｏもステージに立った。チケットはあっという間に売り切れ、新しいライブハウスは早々に下北沢の新名所となった。

ステージに立ったのは大物ばかりではない。世間的にはまだ無名のバンドや明日を夢見る若者たちが、まだ満員にする力がなくてもステージに上がる。井上は、MVの仕事とは層が違うミュージシャンたちとの出会いを楽しんだ。ライブハウスは例えるならばプラットフォームで、そこを拠点に、大物もやってくれば無名の若者もやってくる。「層」の違いはそのまま業界の多様性を表し、無名の彼らが存在できることが活力になり、彼らの中から次のシーンの担い手が生まれてくる。

井上には頼まれた仕事を適切にこなしていく職人的な気質と同時に、ビジネスも含めて挑戦を面白がることができるセンスも備わっていた。当たり障りのない毎日を続けることよりも、進んで変化を受け入れ、新しい商機を探るほうが面白いと思える、そんなセンスだ。

私がGARDENに取材に行こうと思ったのも、インターネットで見つけた小さな記事がきっかけだった。一人の客として足を運んだことがあり、名前は知っていた。記事は、GARDENでミュージシャンのライブ映像配信のサポートを手がける新事業のスタートを伝えていた。

「僕はMVだけでなく、販売されるツアーのライブ映像撮影なんかも仕事でやってきました。見ている側は、ライブ映像に慣れてしまっていると思うんです。ただネット上で動画が流れているだけなら、当然飽きる。一回はお金を払っても、それで終わりです。うちは僕も含めて、映像経験のあるスタッフを入れて配信を手伝うことができます。黙っていても赤字。ならば、できることからやっていこう、ということです。手応えはありますよ」

幸いにして、ＧＡＲＤＥＮには２０１１年に一部で盛り上がったインターネット動画配信に対応できるようにと揃えた中継に対応できるだけの機材が一通りあった。あるものをベースに拡充することで、新サービスを提供できるめどはついた。ライブをやりたいというバンドと、ライブを観たいというユーザーは確実にいる。だが、通常の業務用機材とスタッフまでバンド側で賄うとなると予算は跳ね上がる。彼らは、「アーティストとユーザーをつなげるために、赤字覚悟で破格のパッケージ」に挑み、提供したということになる。

動画配信も有名どころにとっては、可能性があるビジネスモデルである。従来なら1公演でライブハウスが満杯になれば、それ以上の集客は無理だった。ここに有料配信が加われば、プラスして１０００人でも1万人でも客を獲得することができる。なんとなく、ライブハウスには行きたくないという客のニーズを満たすこともできるだろう。

しかし、である。これまでＧＡＲＤＥＮに限らず、ライブハウスを頑張って借りて、10人、20人と客を必死に集めてきた無名のバンドにとってはどうか。恩恵が薄いことは想像に難くない。ライブを重ねて、力をつけて、ある日どこかでブレイクするというルートはどんどん細くなっていく。現実として、このサービスが窮地を救う切り札になるのかはまだ誰にもわからない。一つだけ確かなのは、何もやらなければ曲がりなりにも約10年続いてきた、下北沢屈指のライブハウスがなくなるということだ。無論、井上の中にGARDENを閉めるという選択がなくなったわけではない。不安も消えたわけでもない。何をやっても赤字ばかりが続くようなら、当然ビジネスの原理として継続は難しくなる。彼はビジネスに対して、中途半端であるわけにはいかない。

「まぁでも、考えようによっては危機が早くなったというだけかもしれませんね。今、ライブハウスには若い世代がなかなかやって来ません。新しいファンを獲得できない業界は下り坂に入っていきます。今までと同じことをしていてもダメなんですよね。何が起きても、エンタメ産業がすべてなくなるわけではないですから。変わらないといけないんです」

新しいモデルを求めて、試行錯誤する。何かを声高に主張するわけではなく、自分ができることを行動で示す。どこの世界でも、パイオニアにしか最初の一歩を踏み出すことはできない。

結局、下北沢GARDENは2020年10月に閉めることになり、今では別のライブハウスになっている。だが、井上は転んでもただでは起きない人間だった。矢継ぎ早に配信にも対応したキャパ280人の「GARDEN 三宿 BRANCH」、続けて2021年5月に大型撮影スタジオ「GARDEN 新木場 FACTORY」と新事業を立ち上げた。ホームページにはこうある。

「音楽ライブでは長年培ったライブハウス運営のノウハウを活かし、ハイクオリティな音響／

照明システムを常設しております。ライブの規模感に合わせてプランのご提案が可能です」

私はおもわず笑ってしまった。彼は下北沢を離れても音楽を諦めてもいなければ、変化も諦めていない。そういえば危機に直面しながらも、あの街で彼はからりとした口調でこんなことを言っていた。

「何か新しい価値を生み出さないと、お金は生まれない」――。

ポピュリストたちの祭典

新型コロナ下の東京都知事選である。

いくつか原稿の締め切りを抱えていたが、これは見に行かないといけないと思った。東京都知事選で、直前に出馬を決めた山本《やまもと》太郎《たろう》の街頭演説会である。梅雨の晴れ間が広がった、JR錦糸町駅前に彼はやってきた。夏のような日差しが照りつける中、マスクをつけた支持者や聴衆が集まり、ソーシャルディスタンスを意識して並ぶように、ボランティアが呼びかけていた。

ざっと150〜200人といったところだろうか。その錦糸町が地元で、今回山本の最良のパートナーとなっていた元格闘家の須藤元気（参院議員）も駆けつけた。彼らがこぞって打ち出すのは「ロストジェネレーション」、すなわち平成の長期不況が直撃した就職氷河期に、社会に出ることになってしまった世代に向けたメッセージだった。

例によって、政治家というよりロックスター然とした白のポロシャツ、細身のパンツにスニーカーというでたちの山本が登場すると、大きな拍手が起こる。会場は一見すると盛り上がっていた。

山本が繰り返したのは、得意とするお金の話である。「私、山本太郎は衆院選の準備をしてきましたが、都知事選に出ることにしました。今、目の前で苦しんでいる人々を放ってはおけない。総額15兆円の経済政策で、全都民に10万円を給付する。世の中は変えられる。東京から国を変えていきましょう」と高らかに訴えた。

だが、その熱気は彼が立ち上げた「れいわ新選組」が2議席を獲得した2019年7月の参院選の熱気には程遠い。わずか1年前の出来事が、遠い過去に思えてしまう。昨年、新宿駅で第一声を上げたとき、なにより印象的だったのは、道ゆく私と同年代（30代半ば）と思しき会社員たちが次々と立ち止まり、遠巻きに彼の演説を聴いていたことだった。スーツ姿のサラリーマンたちは、普段なら急ぎ足で歩くはずの新宿駅の地下道に立ち、50メートルほど離れたところにいる山本を見つめていた。

世論調査という大事なデータに、演説でどの程度の人が足を止めるか、どの程度の熱気があるか、動員の有無といった現場の雑観を掛け合わせると選挙はより立体的に見えてくる。

脱原発運動から出てきたはずの山本は、いつの間にか反緊縮を主軸に訴える政治家になっていた。彼は緊縮財政を徹底的に批判することに多くの時間を割いた。「上」からカネを取り、「下」にもっとよこせとばかりに、時に叫び、低い壇上から「あなた」に呼びかけ、デフレを糾弾し、自己責任は無いと言い切る。

「今の政治はみなさんへの裏切りだ。20年以上続くデフレ、異常ですよ。物価が下がり続け、消費が失われ、投資が失われ、需要が失われ続け、国が衰退している。デフレが続いてきたのは自民党の経済政策の誤りの連続だったからでしょ」

テレビで活躍していた元俳優だけあって、新宿の地下道を舞台に変えるタレント性があった。そんな山本の訴えと姿を見て、私は「ヨーロッパで流行《はや》った左派ポピュリズムの日本版、担い手はなんと山本太郎」とメモを書き、すぐさま知人の編集者に連絡を入れた。これは新しい動きになりそうだ、と。彼を左派ポピュリストと書いた記事はそれなりに話題になった。支援者からは大きな反発もあったのだが……。

この日の錦糸町も会社員は歩いてはいたが、確認できた範囲で、足を止めたという人はあの日の新宿よりはるかに少なかった。それはコアなファンは彼についてきてはいるが、掘り起こしたいはずの無党派層や、彼が頼みにしたかったはずのロスジェネ世代への浸透は今一つであることを意味している。

あれだけ勢いがあった「山本太郎」が空回りしている。ここに今回の都知事選を読み解く鍵があるように思えた。今回の都知事選は稀代《きだい》のポピュリストである現職・小池百合子に山本が挑むという構図が成立するはずだった。勝敗以前に明らかになっているように、実際には構図そのものが成立しなかった。その理由は、新型コロナウイルス禍ではない。小池が論戦の土俵に上がらないという選択をしたことで、山本のエネルギーははるかに削《そ》がれてしまった。

「社会が究極的に『汚れなき人民』対『腐敗したエリート』という敵対する二つの同質的な陣営に分かれると考え、政治とは人民の一般意思の表現であるべきだと論じる、中心の薄弱なイデオロギー」（カス・ミュデら『ポピュリズム：デモクラシーの友と敵』白水社）

この定義が面白いのは中心の薄弱さと対立構図にこそポピュリズムの本質があると指摘しているところにある。ポピュリストの主張は、右派であれ、左派であれ、確固たる信念に基づく体系的かつ論理的な一貫性はなくていい。良く言えば柔軟、悪く言えば体系がないから、昨日までの自分と今このときの自分を切り分けることができる。ＪＲ新宿駅近くの貸し会議室でインタビューをしたとき、山本は興味深いことを語っていた。私が「自分の政治的スタンスをどう捉えているのか」と聞くと、彼は間髪を入れずにこんなことを言った。

「右派、左派なんていうのは、私にとっては重要ではない。それは人をカテゴライズするのに便利で万能なのかもしれないが、はっきり言ってどちらにも興味がない。私は右派でも左派でもなく、フリースタイル。右派でも左派でも良い部分を取り込んでいく、フリースタイルでやっていけたらいいだけ」

この発言は、山本太郎というポピュリズム政治家を象徴している。中心にあるのは、強固かつ体系的なイデオロギーではなくスタイルだ。強大な既得権益に立ち向かっていくというスタイルこそが山本太郎であり、彼への期待感を膨らませる原動力になっている。

小池もまさにこの定義に当てはまるポピュリストである。彼女も多くの「敵」を設定し、そこに立ち向かう姿を演出することで票を獲得してきた。

今回、小池は徹底的に他の候補者と並ぶ機会を絞った。新型コロナ対策で連日テレビに出ており、圧倒的な優勢は伝えられていた。下手に討論をして失言するくらいなら黙っておいたほうがいい、と判断したのだろう。この間、街頭に立たないという方針を堅持し、いくつかの討論会に呼ばれても肝心の質問をはぐらかし、あるいは例によって抽象的な答えを返すか、積極的に沈黙を保つだけだった。

ポピュリストであるがゆえに、小池は「対立」こそが、相手のエネルギーになることを知っている。彼女は対立構図を作られることそのものを避けた。彼女の決断は選挙戦での勝利へと結びついた。

新型コロナ下の東京都知事選では、小池百合子が366万票を集め、圧勝した。

前回の選挙戦で高らかに掲げたが、しかしほとんどが達成できなかった七つのゼロ――「待機児童ゼロ」「残業ゼロ」「都道電柱ゼロ」「介護離職ゼロ」「満員電車ゼロ」「多摩格差ゼロ」「ペット殺処分ゼロ」――はいったいどこにいったのかと問われることは当然、想定内である。これに加えて、新型コロナへの対応、東京オリンピックという難題について批判があることもわかっている。だからこそ、論争そのものを避けた。都知事としての「職務を全うしている」雰囲気を作り出す。黙っていてもメディア露出はあり、選挙では優勢なのだからそれでいい。彼女の行動には、そんな意図が透けて見えた。

空虚な選挙戦だった――。きっと多くの人は「東京アラート」なるものが、単に都庁などを赤くしただけの実態がないものだと知っている。多くの人は、今すでに、あるいはこれから経済が大きな打撃を受けることを知っている。冷めた空気だけが広がっている。論戦はなく、実態は空虚であり、いっときのムーブメントを起こしたポピュリストですら、政治への期待を高めることができず、多くの人々の心を捉えきれないまま選挙当日を迎えた。冷え切った空気を変えることすらできないままに……。

派手な発表が好きな小池は、再選後、9月25日の記者会見で、「東京・iCDC」なる名称を発表し、10月1日から立ち上げると喧伝《けんでん》した。

「iCDCのトップには福祉保健局の初宿和夫健康危機管理担当局長が就く。同局感染症対策部の職員ら約八〇人が中心メンバーとなり、区市町村の保健所のほか都内の医療機関、東京都医師会などと連携しコロナ対策に当たる」（二〇二〇年九月二五日付・日経新聞オンライン版）

ところが、この連携の中心と位置付けられた組織の幹部を取材で訪ねたとき、彼は私にこう言った。

「健康危機管理担当局長？　そんな職種があるんですか。iCDC発足で、現場の仕事で何か影響があったかといえば、特にないですね」

iCDCに関わる専門家はこう言った。

「都知事は、派手な名前の組織を作って満足してしまったようにしか見えない。せっかく専門家ボードが助言をまとめても、活かす気がないのか、助言の斜め上をいく言動を後から報道で知るばかりだ」

自らが求めた二度目の緊急事態宣言が出ていた2021年の年明け早々、小池が熱心だったのは、若者に向けたメッセージの発信だった。人気ユーチューバー「フィッシャーズ」のチャンネルに出演した小池は、彼らの出身地が葛飾区であることにかけて、「コロナに『勝つしかない』」という、毒にも薬にもならないメッセージを寄せていた。目立つ取り組みには熱心だが、実務的な取り組みには関心を持たない。彼女の発信は、常に「緩み」「若者」と、感染を広げている「誰か」を作り出すことに向けられていた。パフォーマンスは叩いてもいいターゲットを作り出し、世間の「憂《う》さばらし」にはつながった。

きっと私は、と思う。ターゲットにされた側にしか関心を持てそうにない、と。

若者のすべて

東京は「足の街」である。街の一角にあるベンチに腰をかけてみよう。時代の最先端のビジネスパーソンが集う丸の内では革靴やパンプスが行き交い、みんなが急ぎ足でつかつかと前に向かって歩く。IT企業が集まる赤坂や渋谷ではスニーカーだらけで、スマートフォンの画面を見ながら歩く人々を観察することができる。そんな「足」を見続けてきた一人の青年がいる。

さて、今宵《こよい》、彼は何を見ているのだろうか。

＊

僕の名前は久保田好映。これでヨシアキと読みます。今年で22歳になりました。靴職人を目指して、2018年4月に宮崎県から上京してきました。親からは大学に行ったほうがいいと言われましたが、僕はどうしても靴に携わる仕事がしたくて、自分で調べて靴作りを学べる専門学校に行こうと思ったんです。調べてみると、靴メーカーが集まっている神戸と東京に学校があることがわかりました。ここはやっぱり東京かなと思って、上京したわけです。

東京は僕にとって、チャレンジの街です。人も多いし、自分が動けばいろいろなチャンスが転がっている。今は専門学校に通いながら、週に1回か2回、新橋の「ビアライゼ'98」というお店の軒先を借りて、靴磨きをしています。新橋の路上で靴磨きをやっていたら、この店のオーナーがたまたま通りかかって、僕のことを知ってくれて、「それなら、うちの店でやってみなよ」と声をかけてくれたんです。若い人にチャンスを与えるのが好きな方なんですね。こんな出会いがあるのも東京ならではじゃないですか。

今はちゃんと個人事業主として登録して、事業として取り組んでいます。奨学金は毎月10万円借りているのですが、それだけでは東京の生活は成り立たないので、少しでも自分の収入になって、しかも靴を観察する修業にもなるので、靴磨きを選びました。

靴職人を目指した理由ですか……。たぶん大きな理由は中学、高校と陸上競技、特に中距離走に熱中していたことです。800メートルや1500メートルの選手として頑張って練習していました。春から夏はトラックシーズンなので競技場での大会が続いて、それが終われば冬は高校駅伝という生活をしていたんですね。そこで靴によって、走り方や成績が変わってくることがわかってきて、それが単純に面白かったんです。メーカーごとに、同じサイズでも微妙にフィットする感覚が違いますし、履き込んでからの感覚も違う。レザーシューズも同じですよね。革によっても、製法によっても、中敷きによっても履き心地が変わってくる。靴って面白い、自分も職人になりたいと、いつの頃からか考えるようになりました。

上京してしばらくは基礎的な部分を勉強して、たまに実習で革靴を作ってみたり、デザインをデッサンしてみたりという生活をしていたのですが、もっと靴を知りたくなり、路上に出て、人と会って、靴を磨きながら勉強しようと思ったのです。そこまではいいのですが、自分には技術がない。なので、２０１８年10月から２０１９年の3月まで、有名な靴磨き職人の方のお店でインターンという形で勉強しました。飛び込み営業で、「勉強させてください」と頼み込んで、お店に通いつめて技術を学びました。ベースを習得してから、渋谷や新橋に出て、ひたすら靴磨きをやっていました。

心がけているのは、ただ靴を磨いて終わるのではなく、気持ちが上がる磨き方です。僕が得意なのは鏡面磨きです。20分のお時間をいただいて、革靴の先端と、かかとの部分を鏡のようにピカピカに仕上げる技法です。ワックスも硬いものと軟らかいものと2種類用意して、丁寧に時間をかけて仕上げます。

ワックスは同じメーカーの同じ種類、同じ缶に入ったものなのですが、自分の手に馴染《なじ》むように、新品で蓋《ふた》を開けたてのものはまず使いません。蓋を開けたばかりの、まだ軟らかいワックスに、つまようじを刺して空気に触れる面を多く作り、余計な水分を抜いていきます。これでやっと準備が終わります。

鏡面磨きでは、まず汚れを落とし、適度な硬さになったワックスを自分の指にとって少しずつ靴に塗っていくところから始まります。そして、水をちょっとだけつけて、馴染ませるという作業を何度も繰り返し、仕上げの軟らかいワックスを塗って布地で磨くと徐々に靴が光っていきます。この瞬間が嬉《うれ》しいのです。

今は鏡面磨きなら2000円、鏡面にしない普通の磨きなら1000円と値段を決めてやっていますが、街に出たばかりの頃は修業中だからということで、お客様に自分で値段をつけていただくという形でやっていたんです。

ある時、高校生が大学受験前にやってきて、縁起をかついだのかピカピカにしてほしいと言ってきました。3年間、ずっと履いていたボロボロのローファーだったのですが、それでもメンテナンスをすればきれいに光ります。ある時は就活中の大学生がやってきて、大事な面接の前だから磨いてほしいとお願いされました。リクルートスーツを着ていた学生の靴は、履き慣れていないせいもあって手入れが行き届いているとはいえない一足ではありましたが、それでもかかとの磨《す》り減り方や、細かくついた傷を見ていれば、頑張って歩いていることがわかります。

慣れないとはいえ、自分も職人見習いなので、できる限り丁寧に磨いてお返ししようと努めました。高校生も大学生のお客様も、靴磨きを頼むのは初めてかもしれないし、僕は細かい技術がわからないかもしれない。でも、僕が時間をかけて磨いていけば、ボロボロだった靴がきれいになっていくことは伝わるんですよ。おぉという顔になって、最後は「ありがとうございました。これで頑張れます」と言って、僕にチップまで渡して、大切な勝負の場に向かっていきました。ちょっとしたことかもしれないけど、靴がきれいになるだけで前向きになれるし、気分が変わるということを、路上で学んだのです。

今も出張メンテナンスをメニューに入れているのですが、路上で出会った企業の社長や経営陣に名を連ねる方、それから車のディーラーという方からお声がかかることも増えています。そこで気がつくのは、エグゼクティブや仕事ができるビジネスパーソンの方ほど、靴に気を遣っているなということでした。東京のエグゼクティブだからといって、驚くほど高級なオーダーメード靴や、最高級のブランド靴を履いているということは滅多にないのですが、メンテナンスが行き届いているんですね。

それはディーラーの方ならお客様から、エグゼクティブならほうぼうで会う人たちから「足元」を見られるからなのだと思いました。それは一瞬かもしれないけど、汚れている靴を履いていることでマイナスの印象を与えるかもしれないから、手入れを怠らないんです。細かい気遣いだけど、絶対に手を抜かないのです。

僕の事業は２０１９年から２０２０年2月まではかなり好調でした。月ごとに定めていた目標も毎月クリアできて、自信も出てきたところでした。合皮のケースの中にハンドラップという水差しみたいな用具、コットンの布、仕上げに使う柔らかいネル生地の布、そしてワックス、靴の色に合わせて色違いのクリームをだいたい12色前後詰め込んで、毎週金曜の夜に新橋に向かいます。例えば、今日は10足という目標を立てたら、数時間で目標を達成して、あとはできるところまで頑張る、という仕事ができたのです。

実は緊急事態宣言が出ていた期間は、宮崎に帰省していました。ちょうど専門学校が春休みになって3月に帰っていたんです。そしたら東京でもだんだん新型コロナウイルスの感染者が増えて、学校も休みになってしまい、東京に戻りたくても、戻れなくなってしまいました。やっと学校が始まるからということで、6月に戻って、そのタイミングで事業も再開したのですが、影響はやっぱり受けています。

もうびっくりするくらい靴が少なくなってしまいました。金曜の新橋で、靴の数は半分かそれ以下じゃないですかね。週末でもこれだけしか人がいないのか、と驚いてしまいます。宮崎でもニュースは流れていたので、東京の動きも知ってはいるつもりでしたが、想像以上です。僕にとって新橋は男性も女性も「革靴の街」だったので、売り上げもまだまだまったく戻りません。靴の中身もがらりと変わってしまったのです。スニーカーがものすごく増えましたね。スーツにしっかり仕事用の革靴を履いて、という感じではなく、リモート勤務の合間に「ちょっとスーツを着て職場に顔を出すだけ」「ちょっとそこまで出るだけ」という感じなのかな、と思います。

それでも東京はやっぱり面白い。今日もすごいお客様に会えました。靴はイギリスを代表する大ブランド「クロケット&ジョーンズ」。良い靴は磨きやすいです。「鏡面磨きは苦手」とのことでしたので、クリームで磨いたのですが、僕が使っているクリームのメーカーや種類まで聞かれて、「このメーカーで」と言われたのです。磨いた靴で満足したと言ってもらえたので、まだまだニーズはあるなと励まされました。僕の仕事はオンラインでは絶対に代替できません。なんでもデジタル化されていっても、最後まで残るのはアナログなものだと思います。

専門学校は今年で最後で、もしかしたら1年延長して勉強を続けるかもしれません。それも奨学金との兼ね合いで、社会に出てからの借金が100万円以上増えてしまいます。だから、いざ社会人になって、返済が始まってどうなるかも考えないといけません。社会に出たら、いつかイタリアに行ってみたいです。勉強か仕事かはわかりませんが、革製品で有名なフィレンツェに行って、現地の靴工房に飛び込んで職人たちと話してみたいです。

丁寧な製法で作られた靴を、ちゃんとメンテナンスして何年も履き込めば特別な一足になります。やっぱり、人間の生活にとって靴は切っても切れないですし、僕も将来は独立した工房を持って、誰かのために特別な一足を作りたい。それが夢ですね。

＊

この日の閉店時間は新型コロナ対策の一環で午後10時だった。彼は少し早めに切り上げて、賄いのカレーに加えて、私と一緒に名物のメンチカツをたのみ、ビールを飲んだ。仕事上がりの一杯をしっかりと飲み干し、少しばかり自分を労《いたわ》ってから、彼は家へと帰る。閉店時間を過ぎ、適当な話をしながら新橋駅に向かって歩いた。「じゃあ、またお願いします」と握手を交わして、彼は銀座線のホームに降りていく。東京で夢を追いかけ、地方から出てくる若者はいつの時代もいる。チャレンジができる街、東京を夢見て……。

世間を席巻している「鬼滅の刃」である。劇場版はあっという間に興行収入100億円を突破し、連日の盛況ぶりが各所でニュースになっているころ、私は新宿の映画館で一人の女性と出会った。この映画は序盤から中盤にかけての山場で、アニメ版でストーリーをさらっているか、あるいは原作を読んでいないと物語に追いつくのは難しい。それにもかかわらず、一つの社会現象といっていいほどに広がっている。いったい、なぜ?――。私が訪れた映画館で、観終わったばかりの童顔の「彼女」は、カフェオレを片手に取材に応じてくれた。年は20代前半だが、実際は実年齢より低く見られることが多いと言った。ごくごくありふれた水色無地のワンピースに、これも無地のネイビーブルーのニットカーディガンというこざっぱりとした出で立ちだった。「いまの私の職場、すぐそこだから」と指をさしたのは、歌舞伎町の方角だった。

＊

「鬼滅」って人生をいろいろ考えさせてくれる作品ですよね。悪役も含めて生き様がしっかり描かれているし。私も辛いことも多いんですよ。でも、何か楽しいことがないとやっていけないし、鬼滅があってよかったと思いますね。私の仕事ですか……。今は、親には言えないような仕事ですかね。仕事場は歌舞伎町のほう。もうちょい、ちゃんと言うと歌舞伎町も含まれるけど、まぁ新宿ってことにしておいてください。キャバクラ?　違いますよ。風俗のほうです。私、18歳で田舎から東京に出てきたんですよ。パティシエに憧れていて、専門学校でも行ったほうがいいのかなと思ったけど、うちお金なかったんです。まずはどっかに就職しないといけないってなって、どうしても東京がよかったから、都内のお菓子屋で働き始めました。もちろん決まったときは嬉しかったですよ。高卒でもいいからとにかく頑張って、お金を貯めたら学校にも行けると思ったし、最初に業界を知っておくことも悪くないかなぁと思って。でも、働き始めたらブラックなんてものじゃなかったです。あんまり理由はないのに朝早くから出勤しろって言われて、ほとんど肉体労働みたいにずっと仕事をさせられて、仕込みも手伝わされて……。それに勤務時間中はずっと立ちっぱなしで、休憩時間もろくに取れず、閉店後も新人だからという理由で掃除もやらないといけないし、誰でもできるような雑用まで押し付けられていたんです。あともういいや、と思ったのは理由は全くよくわからないのにいじめのターゲットにされたことですね。私だけハブられていたんです。私が入っていないグループラインが職場にあったんです。知りたくもなかったのに、その子としては良心なのかな。教えてくれる子がいて、初めてわかったんだ。私の失敗をみんなで共有して、笑い物にしていた。思ったよりも重労働でしょ。それに、みんな自分を笑っているかもしれないなんて環境で働けるわけないじゃないですか。もうすぐにでも辞めようって思った。何もかもがどうでも良くなってきたって感じですかね。

「私はこれ以上はもう頑張れないので、辞めますね」と言って、数カ月でやめたんです。そのことを後悔しているかといえば、まったくしていないです。そのまま働いていたら、私は生きてここにいなかったですよ、たぶん。できるものならすっと消えてしまいたい、みたいな感情ばかりでしたもん。でもそこで実家に帰るなんて選択も私にはなかったです。家族が自分の味方だと思ったこともないし、家になんていたくないから東京に出てきたので。そこであっさり帰ってもダメだなって思ったんですよ。やっぱりお金を貯めたい。親族もいないし、友達もいない18歳がまともに次の月の家賃を払おうって思ったら、できる仕事なんてそこまで多くないんですよ。私、すぐにスマホで検索しました。それは最初はびびりましたよ。本当にできるかなと思いますよね。でも、迷っている時間が無駄なんだって頑張って電話しました。入店のときにちょっと手当みたいなお金がもらえるお店にしようと思ったのが決め手といえば決め手です。お店を選ぶのに大した理由はないですよ。

電話かけて、すぐに面接に行くことが決まって、あっという間に採用されて、スタッフさんに言われるがままに源氏名も決まったんだよね。ここではずっと18歳。誕生日がきても18歳のまま。私、見た目が幼いじゃないですか。だから、ちょっと若く見られるの。それが得しているって思うことが多いかな。自分の見た目、そんなに好きじゃなかったけどね。

私は店内でも多くのリピーターさんが付いているほうなんだよ。はじめて認めてもらったって思ったかな。この年で、普通のアルバイトや普通の就職だともらえないようなお金もらって。1日出勤したら、一週間働きっぱなしなのと同じくらいの額になるんだよ。いや、もっとかな。私はもう一度、専門学校に通おうと思って、しっかりお金を貯めたいんだ。

新型コロナ禍の影響もほとんど受けることなく、彼女の仕事は終始忙しいままだった。時世を考えて、これまで以上に体調管理には敏感になり、少しでも不調があれば無理な出勤を避けるといった注意はしていた。お客は途切れることなくやってきて、彼女に「コロナで仕事が減ったよ。ちょっと先が見えないんだよね」「リモートワークが続いて、それはそれで疲れる」と適当な世間話をする。「そういうお店」なのに、お金を払って彼女の顔を見て、ただただ話すだけで帰っていくお客もいる。誰にも吐き出すことができない愚痴をにっこりと笑って聞くこともまた、彼女の仕事のうちだった。

源氏名を名乗り「もう一人の自分」になって出勤し、家に帰ってからまたリアルな自分に戻る。リアルな自分がなにより大切にしていたのは、アニメを見る時間だった。各クールの新作をチェックし、自分が好きな漫画や声優をチェックし、暇ができれば出来が良かったアニメを見返すのが彼女にとってはほぼ唯一の息抜きである。

その中で、ぐっと引き込まれたのが２０１９年にアニメ版が放映された「鬼滅の刃」だった。ここ最近の中では群を抜く作画のクオリティーと鮮やかな戦闘シーンに圧倒され、すぐに原作漫画も読み始めた。そこから彼女はずっと泣かされることになる。簡単にストーリーをさらっておく。時は日本の大正時代――人知れず暗躍する鬼に、留守中の一家を惨殺されてしまった主人公・竈門炭治郎《かまどたんじろう》。家族で唯一、一命をとりとめていた妹・禰豆子を見つけたが、禰豆子《ねずこ》も「鬼」になっていた。ギリギリのところで理性までは失っていないことに希望を感じた炭治郎は、妹を人間に戻す方法を探し、鬼を生み出すことができる「鬼の祖」鬼舞辻無惨《きぶつじむざん》を倒すために仲間たちと戦う道を選ぶのだった。

最初に彼女が泣いたのは、炭治郎のこんなセリフだった。鬼を倒した炭治郎は、婚約者を失った男性に声をかける。「失っても失っても生きていくしかないです　どんなに打ちのめされようと」

「あぁこれだなと思ったんですよね。私も働く場所もなくなっちゃったというか、自分で辞めたんだけど、それでも自分で生きていくしかないじゃないですか。それでいまの仕事をやっているんです。これでいいのかなって思うときもあるけど、お客さんもいるから。頑張っていくしかないんですよ」

この作品を貫く価値観の根底にあるのは、炭治郎のセリフに象徴されるように「人は苦しいことがあっても、悲しいことがあっても、それでも生きていかないといけない」ということだ。主人公は悲しみを背負いながら、生きていくことを選ぶ。「お前に何がわかるんだ」と言われたとしても、少年漫画らしいまっすぐさを失わず、時に悲しみや慈愛に満ちた表情で生を肯定する言葉を選び続ける。

「あとは鬼ですよね。鬼も元は人間じゃないですか。鬼が単に悪役なら、ここまで入り込むことはなかったと思うんですよね。悲しいし、辛いこともいっぱい経験していて、あぁ鬼にも鬼になる理由があるんだなって。単に悪役じゃないところも好きですよ」

彼女が特に好きだと語っていたのは、物語の象徴的な場面で登場する鬼の生い立ちだった。その鬼は人間時代、貧困家庭に生まれた男の子だ。幼少期に貧困から逃れるために、自身が手を染めた犯罪がきっかけになり父親が自死を選ぶ。自暴自棄になり、暴力に明け暮れる日々を送る彼を救ってくれたのが武道の師範だった。師範の家に拾われ、娘と恋仲になり、幸せな日々を送っていたが、また事件が起きる。師範と恋人が殺害されてしまったのだ。

自分たちと直接戦っても勝てないことを知っていた犯人たちは、井戸に毒を入れるという方法で殺害した。それも彼がいない時間に。彼は自分の無力さを責めた。報復のために暴力を使い、関係者を殺害した後、自分の弱さを克服するために彼は鬼になった。人生をやり直そうと思っていたにもかかわらず、それすら叶わない。すべての生活がどうでもよくなってしまった彼にとって、生きるために必要だったのは鬼になって、人間以上の強さを手に入れることしかなかった。

最初は悪役でしかなかった人間を食べる鬼たちが、実は心のうちに弱さを秘めた人間だったという事実が、作中では淡々と回想シーンで明かされる。虐待やネグレクトといった過去を抱える登場人物は、鬼も含めて決して少なくない。鬼は鬼で、不幸を乗り越えるために鬼にならざるを得なかった。確かに鬼は人間以上に強いが、そんな強いはずの鬼がうちに秘めているのは、実に人間らしい弱い心だ。

そんな鬼についてひとしきり語った時、彼女はぽつりとこうつぶやいた。

「やり直せると思っていたのに、やり直せなかったら、人生って切ないよね」

そう、彼女もまた人生をやり直している最中にいるのだ。人生に何度かやってきた苦しい時期を乗り越えて、それでも一人で生きていく、そんな決意を秘めて。「きょうもこれから仕事だけど、映画観て元気出ましたね」といって、彼女はカップに残ったカフェオレをすべて飲みほして、夜が深まっていく新宿の街に歩き出した。

2020年の夏、新型コロナ禍で新宿区に感染者が続出した時、社会では圧倒的にバッシングが優勢だった。「夜の街」というレッテル貼りが横行し、「新宿区を封鎖しろ」「ホストとキャバクラだけでなく、風俗店もダメだ。営業を停止しろ」という声が圧倒的に多かった。「新宿」「歌舞伎町」という言葉自体が巨大な記号となってしまい、具体的な対策を冷静に議論するのではなく、とにかく敵を見つけ、名指しし、排除も差別もまったく問題ないと考える人たちの声が日増しに大きくなっていた。

私には、彼らの言い分は、嫌なものは嫌だと言っているようにしか聞こえなかった。リアルな現場を取材して歩いていれば、この街やその界隈に集まっているのは、社会的な強者ばかりではないことはすぐにわかる。彼女のように「やり直し」に人生を懸ける人もいれば、地方から身一つで出てきた人々も息を潜めながら生きている。安易なバッシングを続けたところで、彼らの生活は何も変わらない。

「鬼滅の刃」で不幸なのは当然ながら、鬼だけではない。主要な登場人物には何らかの不幸な出来事がやってきている。鬼と同等といってもいいくらいの困難を与えられているが、彼らはやり直している。作品内で人間と鬼を分けている最大の一線がある。それは人間が未来を信じていることだ。明日や次の世代のために精いっぱいに生を全うする道を選び、しかも一人ではなく、みんなで協力して目の前の鬼や困難に立ち向かい、未来を切り開こうとあがく。しかし、鬼は最後まで孤独であり、最後まで自分一人のことばかりを考えている。

「やり直す」ことが肯定されない社会はどこか息苦しい。励ましてくれる人がこの社会では少なく、もしかしたら、この作品が最後の救いになっているという人は決して少なくないのかもしれない。彼女の言葉をもう一度、思い返しながら私は新宿駅に向かって歩いていた。

「やり直せると思っていたのに、やり直せなかったら、人生って切ないよね」

ここに一つのデータがある。データと言っても、科学的な調査ではなく、アンケート調査の結果にすぎないのだが、そこに看過できない声が記録されていた。東大新聞オンラインによると、彼らのアンケート調査でオンライン授業について満足だと答えた東大生は回答者の7割近くに達する。

ところが内訳を細かく見ていくと、学年が下になるにつれて「満足」の割合がどんどん下がり、少なくとも2割近くの1年生は強い不満を抱いている。

《「毎日部屋で一人で授業を聞いて課題をやるということが大学生活の全てであってよいわけがない（文Ⅲ・1年）」「友達と呼べるような人も新しくできません。一部の授業でもよいので駒場に通いたいです。浪人期と同じ、下手したらそれ以上につらいです（文Ⅰ・1年）」》（東大新聞オンラインより）

この声には重いものがあった。大学から依頼があり、私は2019年度から2年間の任期で、東京大学で非常勤講師を務めていた。「ニュースの未来」と題して、新聞、インターネットメディア、そして今のようなメディアも分野も横断するフリーランスのライターから見えるニュースの可能性について語る。週に一度、メディアに関心がある学生と接するのは良い刺激であり、今年も楽しみにしていた。

当然ながら、新型コロナ禍で大学は一変した。赤門の前には警備員が立ち、所定の手続きをしていない場合、大学に入るための許可証を書くように求められる。私も毎週のようにＡ４の用紙に所属、名前、目的を書き、コロナの諸症状がないこと、周囲にも感染者はいないことにチェックを入れてから講義をしている。

講義の形式をどうするかについても、選択を迫られた。私はといえば、現実的に新型コロナの流行が読めない以上、オンラインは外せないが、しかし対面の可能性も捨てたくなかったので、自分は毎週講義のために大学に行き、学生が対面かオンラインを選べるハイブリッド型で乗り切ることにした。毎回20人前後がＺｏｏｍ越しに「出席」しているのだが、対面を選ぶのは多くても2〜3人だ。今、大学生は何を考えているのだろうか。もう少し学生の本音が聞きたくなり、キャンパスを歩いた。東京大学1年生、Ｋが２０２０年を終わる前に振り返る――。

＊

北海道から上京しました。今年は新歓期も全部オンラインでしたよ。オンラインで、各サークルが集まって合同説明会をやるのです。自分みたいにはじめから、ここのサークルに入ろうと決めていた人はそれでもよかったほうですが、何も決めていなかった人はどうしているんだろうと思います。

大学に入ったらサークルの勧誘があってビラをいっぱいもらったり、声をかけられたりして勧誘されるんだろうなぁと思ったら、健康診断を1回受けただけで、もう大学には行けなくなりました。あとはほぼオンラインですよ。講義もオンライン、サークルを選ぶのもオンライン、サークル活動もＺｏｏｍとメールのやりとりが主になってしまったようで、テレワークみたいだと思いました。僕が最初に思い描いていた大学生活とだいぶ違うものになっています。

授業もオンラインが中心ですが、たまに対面の授業もありました。大学は語学を中心にして対面授業も取り入れようって考えているみたいなんですけど、僕は自分と興味関心が近い人たちと友達になりたいし、一緒に話してみたいと思ったから大学に入学したわけです。

それなのに、たまたま同じ年に入っただけで、そんなに関心も重ならない語学が対面になったところで、いったい何になるんだろうって思っちゃいますね。興味関心が近い人と会える、話が合う人たちに会える確率は、絶対にゼミ形式の授業や選択科目のほうが高いはずです。僕はそっちで対面を増やしてほしいなって思っています。

今年の前期はほとんど大学に行きませんでしたが、ゼミ形式の授業だけほんの少しの間、対面で再開されたことがありました。やっぱり対面は面白いです。例えばＺｏｏｍだと面白い質問をした人にあとで連絡をとって……なんてことはやらないけど、対面なら終わったあとに、「あの質問面白かったね」とか「どんなことに関心があるの」って話ができるじゃないですか。

実際に授業を通じて僕もやっと友達ができて、一緒に興味がある分野の勉強会をやろうという話になって、会も始まりました。こういうのが楽しいんです。もういっそのこと、休学しようかなぁとか、留年もありだなぁと考えてもいました。オンラインで授業を受けていても、イマイチ盛り上がりませんし、何より友達がそんなに増えませんよね。

みんな暇だからなのか、いつもなら出席者が減っていく大人数の授業が、今年は受ける人数がずっと変わらないって話を聞きました。でも、それって単にZoomを流している人がいるというだけで、実際にちゃんと話を聞いているかは先生たちだってわからないと思います。Zoomは単に流れているだけで、授業に集まっているということにはならないはずです。

そりゃあ3年生や4年生はオンラインでもいいでしょう。だって、ゼミやサークルも経験してきて、みんなどこかしらのコミュニティーに所属しているじゃないですか。上はもう友達だっているから、まったく困らないですよ。僕たちはそんな機会がないんです。僕は、勝手に放り投げられているような気分です。このまま、何もなく4年間ずっとオンライン中心のままだったらと考えますよ。それって本当に学位のためだけに大学に所属していることになってしまいますよね。それが大学生活なのかと思ったら、僕の4年間って一体なんだろうなぁと思うでしょうね。

*

東京大学2年生、Nの戸惑い——。

去年は、朝から大学に行って、サークル活動やって夜に帰るという生活をしていました。去年と今年の違い……。うーん、違いが多すぎて、やったことがないことばかりをやるストレスがありますよね。

＊

時間の使い方がわからなくなりました。大学に来るまでの間は何をしていてもいい自由時間なんです。本を読んでもいいし、スマホを見ていてもいいしっていう時間です。今年は自由時間がすごく増えてしまい、それにかえって戸惑いました。本当はやることはあるんですけど、生活のリズムが違ってしまって、あれ、自分は今まで何をしていたんだっけ？　と思うことがありました。時間の感覚が調整できなくなってしまったみたいな感じです。

オンラインの授業ですか？　これはラジオですよ。ラジオだから、流しておけばいいって感じです。カメラもオフを求められることが多いから、あとは適当に声だけ聞こえてくればいいかなくらいです。その間に好きなことやサークルのことをやっていても問題ないですし、効率はいいかなと思います。

でも、大学の意味や価値って授業だけにあるのかなって考えてしまいます。サークルとか課外活動で、みんなで同じ場所に集まる意味は絶対にありますよ。授業だって、対面もいいなって思いますよね。だって、授業を全部Ｚｏｏｍに置き換えられたら、物理的な空間なんて必要ないはずです。それなら好きな本を読んでいたほうがマシですよ。大学の意味は、授業だけじゃないって思うんですけどね……。

＊

東京大学3年生、Tの発見――。

＊

僕はあんまりオンライン化で困ったことはないですね。1年生は大変だし、本当にかわいそうだと思います。今年入学した1年生から「浪人のときのほうがよかった。浪人しているときより、今のほうがつらい。こんなことをやるために大学に入ったんじゃない」という声を聞いたときは、これじゃあダメだよなと思いました。特に1年生、できれば2年生まではやっぱりキャンパスで過ごす時間は大事ですよ。

それは大前提ですが、じゃあ3年生の僕はどうかというと、そんなに悪いものではないと思うときもあります。大学の近くにあるシェアハウスで、友達と住んでいるのですが、新型コロナが流行してから以前よりも仲良くなりました。去年までは、みんなの日程が合わなくて、誰かは朝にいなくて、帰る時間もバラバラで、そんなに一緒にいる時間はなかったんです。でも、今年になってから、朝からずっと一緒で、朝食から夕食まで3食一緒に食べる日も珍しくなくなって、お互いに話す時間も増えました。

「今日何やっているの?」「あっ、こっちは昼で終わるよ」「じゃあ、一緒に飯でも食おうよ」みたいな感じでコミュニケーションの時間がだんだんと増えると、みんなのことをそんなに知らなかったなぁと思うようになりました。

リビングでオンラインの授業を受けている友達がいて「今、何を受けているの」って聞いたら、データサイエンス系の授業で、僕も興味がある分野だったので、「今はこんな話をしていて……」と教わる時間も増えるようになりました。これはオンラインのいいところで、みんなが流しているものを聞いて、自分の専攻に活《い》かせるかもと思うんですよ。

＊

東京大学4年生、Oの述懐——。

＊

僕はもう4年になっていて、大学院の進学も決まったので、オンラインになってもまったく困りませんでした。むしろ、実家から登校する時間がなくなったので、ラッキーだなと思いました。でも、それは僕が4年生だからですよね。サークルやゼミでも友達はいるし、自分にとって必要なものがわかっているからです。

卒論を書くために今、スペイン風邪が流行したときの新聞を研究しているのですが、研究テーマと時代が重なってきて、過去と今と何が違うのかを体験できています。オンラインになったことのプラスは感じているのですが、もし自分が1年生なら嫌だと思うでしょうね。

＊

東大新聞のコラム「排調」より――。

《東京大学新聞社の仕事も以前はどのように進めていたのか思い出せない。Ｚｏｏｍで会議をするのが普通。不要な外出をしないのが普通。３密を避けるのが普通。このような普通は、去年は存在しなかった。（中略）世の中が加速度的に変化する昨今、我々の「普通」も日々更新される。その順応の過程で、大切にしていた感覚も忘却していくのかもしれない》

時間は平等に流れているが、時間に対する感覚は同じではない。１年生の半年と、４年生の半年、青年の半年、彼女の半年。そして私の半年は決して同じではないように。しかし、今はすべて大人の時間感覚が基準になってしまった。更新された「普通」の裏側に、多くの失われた時間が存在しているはずなのだが……。彼らは今日も静かに、東京で生きている。

東京都千代田区永田町

2020年9月8日、東京都千代田区永田町——通称「ヒラカワ」こと自民党本部を久しぶりに訪れることになった。かつて、平河町にあった自民党本部の名残が通称に残っている。スポーツでも映画でも、舞台裏から最後の結果まで観客にすべて知らされていたとしたら、エンターテインメントは成立しない。これは政治も同じで、自民党本部9階901号室の空気はなんともしらけていた。私は、割り当てられた後方の席に座る。

ご丁寧に真ん中には看板が置かれ、大手マスコミ各社が加盟する記者クラブ所属の記者は前方へ、その他は後方へ座るように指示されている。あらかじめ自民党広報から「会見は記者クラブ主催なので、加盟していない人は質問できませんよ」と伝えられていた。それでも中に入れるだけ貴重な機会である。私は意気揚々「新首相候補見物」をすべくヒラカワへとやってきたのだが……。

フォトグラファーたちが、会見での決定的な瞬間を撮影しようと陣取り合戦を始める中、会議室の内外で記者たちは雑談に興じていた。

「どうせ菅さんに決まっているんだからさ、意味ないよな」

「地方からも結構、流れるんだろう。圧勝じゃない」

連日、選挙情勢は新聞各紙で伝えられていた。細田派、麻生派、二階派が菅支持を決めたという水面下での駆け引き、地方票も固そうだといった調子に。舞台裏こそが本当の舞台で、記者会見のような表舞台こそが「裏」になるのが永田町の世界だ。対抗馬の岸田文雄にせよ、石破茂にせよ最初から勝利は遠いことをわかりながらの登壇になる。ここまで結果を見通しながら、やれ盛り上がらない、やれ政治に関心を持てというほうに無理がある。

果たして、「裏舞台」で目立っていたのは石破だった。安倍晋三政権で起きた公文書改ざん問題などを念頭に政治への信頼回復をどう進めるか、安倍政権のどこを見直すかといった質問をのらりくらりとかわし、具体的な見解を避けた菅に対して、石破は反旗を翻す。

「どの世論調査を見ても、納得したという人は非常に少ない。政治は結果責任というからには、納得したという人が増えなければこれは責任を果たしたことにはならない。特定の人が利益を受けることを政府がやっていいはずはない」と公然と批判した。

少なくとも石破は議論をしようとしていたが、菅は公の場で議論を交わすことはさほど得意ではないのだろう。目指すべき政治のビジョンもこれといってなく、とにもかくにも安倍政権を継承したいという思いしか伝わらないまま予定の時間は終わった。印象に残ったのは、安倍がここぞという場面で好んで着ていた明るいネイビーブルーのスーツを、そういえば菅もなぜか着ていたな、くらいだった。これまでの経歴を見ていても、彼が好むのはなにより政局や選挙であり、政策や国民に語りかけることではない。そのために値下げや企業誘致、つまり利得がわかりやすい経済対策を掲げるのが好きだということしか見えてこない。何を期待していいのか、私には見えてこなかった。

その姿勢が端的に表れていたのが、沖縄の選挙戦だろう。私が2018年にフリーランスになったばかりの頃、計2週間ほど現地に滞在し、沖縄県知事選（2018年）と翌年の県民投票のルポルタージュを書いたことがある。ヒラカワでメモを取りながら思う。私が描いていたのは、間接的にではあるが、安倍政権でもっとも沖縄の選挙に介入していた菅のことではなかったか。

菅を直接取材したことはなかったが、彼のオフレコメモを現地で入手した。そこにはこれでもか、とばかりに本音とマスコミ誘導が記されていた。沖縄県知事選が本格化した2018年9月2日、沖縄・那覇市内で、彼は東京から引き連れた番記者を前にオフレコを条件にこう語っていた。

「自公が組めば1＋1が3にもなる。自民＋公明＋下ちゃん（下地幹郎・衆院議員）でやれば勝てる」

「（玉城デニーは）伸びない。翁長《おなが》さんほどは伸びないでしょ。彼は弔《とむら》いから一番遠い候補だから」

「沖縄の人は冷静。根っこには（オール沖縄への）嫌気がある」

自民党沖縄県連のボス的存在だった翁長雄志《たけし》が普天間飛行場の辺野古移設、新基地建設を巡って反対を打ち出したのが2014年の県知事選だった。任期途中で彼は病死し、翁長路線の継承か、それとも安倍政権に近い候補に託すのか。民意が問われる中、菅は自民党候補の選挙運動に深く関わり、「携帯電話料金の4割削減」などと街頭で語った。

「沖縄はどんどん追い上げている。15日、16日にもう一度世論調査をするけど、これで手が届く数字が出るはず」（9月12日）

「ここは最終的にうちが勝つから。（自公維で組む）勝利の方程式でやっているからね」（同日）

結果、玉城が39万6632票という歴代最多得票で圧倒し、自民党系の候補は敗北した。メモには、彼の人間観が記されていたように思える。菅のやり方は確かに合理的である。値下げを掲げれば、大衆は喜ぶだろう。政権の言うとおりにすれば沖縄に振興予算をつけ、従わないなら予算を削減するというやり方をとれば、沖縄の行政サイドもなびくだろう。なぜなら、人間は経済的なインセンティブに反応するのだから――。取材は叶わなかったが、もしじっくりと話ができる機会があれば、一つ尋ねてみたいことがあった。

『ゲド戦記』で知られるアーシュラ・K・ル＝グウィンが書いた「オメラスから歩み去る人々」という短編がある。それはこんな話だ。

オメラス、それはどこか遠くにある美しい都であり、ある種の理想郷を体現している場所だ。そこに住む人々は、子供たちも含めてみんなが幸福であり、土地は美しく、広告や秘密警察もない、国王もおらず、奴隷制や君主制とも無縁な世界が築かれている。

すべての子供は慈しみをうけて、心にやましさ一つない。平和で安全な暮らし、豊かに繁栄した経済、誰もが不満をもたない暮らしを享受しているのだ。だが、オメラスにはもう一つの現実がある。その平和と繁栄が、ある犠牲のもとで成り立っているという現実だ。

犠牲となっているのは、公共建造物と思しき建物の地下にある小部屋に幽閉されている一人の子供だ。知的障害者であり、男女の見分けがつかず、6歳くらいの身体だが実際にはもうすぐ10歳になる。食事は1日に鉢半分のトウモロコシ粉と獣脂《じゅうし》だけを与えられ、裸のまま幽閉されている。

「おとなしくするから、出してちょうだい」と言われても答えてはいけない。この子供にすべての不幸が負ぶさっており、優しい声をかけたら最後、オメラスの幸福、美しさ、子供たちの健康、知恵や温和な気候はすべて崩壊する。

オメラスに住むすべての人々はこの現実を知っている。一人に不幸を背負わせるか、何千何万という人々の幸福を崩壊させるか。現実を知った人々のなかには家に帰らない人たちもいる。彼らは幸福な都暮らしを捨てて、どこかに歩み去っていく――。

「もしオメラスの政治家ならば、どんな判断をしますか?」、と。

時に人間は目先の利益だけでなく、問題に向き合う姿勢で判断する。私の取材に応じた沖縄経済界の大物、金秀《かねひで》グループ会長の呉屋守將《ごやもりまさ》は「稼ぐことは大切。だからこそ、どうやって稼ぐか。それが問題だ」という話を繰り返した。呉屋は自民党支持と相場が決まっていた沖縄財界で、翁長と行動を共にした異色の経済人である。鮮やかなオレンジや水色の植物柄が印象的なかりゆしウェアを着て、時に人懐っこく笑い、時に真剣な表情で味方にも言うべきことを言う。彼が一層、真剣な表情になったのは菅の話題になったときだった。グループ本社の応接間である。

「アメとムチでいつまで沖縄がいじめられるのか。いい加減にしてくれと。自分たちのことは自分たちで決めたいんだということですよ。対話、対話っていうけど対話というのは小さな声を汲《く》み取ってこそ対話でしょ。（翁長前）知事が会いたいというのに4カ月も無視したのは誰なの。沖縄に対立と分断を持ち込んだのは誰なの。沖縄の苦労に思いを寄せてくれる政治家もいたのに、いまの政権にはない。常に上からやってくる」

　呉屋から翁長の著書『戦う民意』（ＫＡＤＯＫＡＷＡ）に描かれた、あるシーンを教えてもらった。２０１５年8月、基地移設をめぐる協議のため翁長は那覇市内のホテルで、菅と向かい合い、沖縄の歴史への理解を求めた。そのときの一コマだ。

　沖縄は１８７９年に日本に併合され、１９４５年の終戦からアメリカ統治下に置かれ、１９７２年に日本へ復帰する。終戦間近には沖縄戦があり、人々が生活していた土地は奪われ米軍基地になっていく。沖縄戦での県出身の戦没者の数は実に12万人以上である。当時の人口で４人に１人が亡くなっている。

　そして日米安保、日米同盟の負担は、ほんの40数年前まで「日本」ではなかった沖縄に集中する。土地は米軍に強制的に接収され、いまなお沖縄本島の15パーセントは米軍基地である。これは東京23区のうち、実に13区がすっぽり覆われるほどの面積になる。新宿区、渋谷区、文京区、千代田区、港区など東京中心部のほとんどがすべて基地になっていると思えばいい。

基地が恩恵をもたらしている部分はあるにせよ、どこまで負担をすればいいのか。基地が日本全体の利益になっているとするならば、なぜ辺野古「新」基地を沖縄が負担するのか。どうして、日本全体でわかち合わないのかという感覚が得票の背景にはある。

しかし、翁長によれば、いくら歴史を語っても菅は応じなかったという。

「私は戦後生まれなものですから、歴史を持ち出されたら困りますよ」と。

菅は秋田のイチゴ農家出身のたたき上げで、世襲の政治家ではない、だから地方や弱者のことがわかるという「物語」が盛んに喧伝されているが、それはあまりにも短絡的だ。彼は合理的な統治思考で、仕事と割り切ったことを粛々とこなせるが、歴史感覚に乏しい政治家だ。好意的に解釈すれば「徹底した仕事人」、批判的に見れば「自分の考えを押し付け、説明のために言葉を尽くさない」。そんな菅を象徴するシーンが沖縄には残っていた。

勝利を確信し、自信を漂わせながら菅が当選を決めたヒラカワ見物からたった1年後、2021年の自民党総裁選を前に菅は突然の退陣を表明した。60パーセント以上の高支持率でスタートした政権は、各社世論調査でも支持率が20パーセント台後半~30パーセント前後まで下がり、8月に入っても長期的な下落傾向への歯止めはかからないまま、退陣にまで追い込まれた。新型コロナウイルスの感染者数と支持率は連動している。最終的に第5波で緊急事態宣言の対象エリアが21都道府県にまで広がってしまった以上、支持率低下は自明の理だ。党内から目前に迫った総選挙を戦えないという声に変わり、支える人もいなくなった。うまくいっている時は、勝ち馬に乗れとばかりに人は集まるが、去る時もまた早い。

菅政権の最大の功績は新型コロナワクチン接種を進めたことだが、それも現場での奮闘あってのものだった。私が取材した東京都看護協会のオンラインセミナーでは、関係者がコミュニケーションの問題を議論していた。緊急事態宣言などの施策は、ワクチンを効率よく接種するための時間稼ぎでもあったはずだ。日本も当初は出遅れてはいたが、多くの医療従事者の協力があり、２０２１年5月から6月にかけてようやく高齢者のワクチン接種は進んできた。ところがここで、もう一つの課題に直面する。

多くの人が勘違いしてしまっているのは、高齢者とその他の年代で、ワクチンに対して、決定的と言ってもいい温度差があるということだ。高齢者はとにかく早く打ちたいという人が多かったし、家族や周囲に望まれる形で打つという人もいた。それも当然である。1年以上、ずっとハイリスクと言われ、「感染したらいかに危険か。どれだけ命にかかわるか」という情報ばかりを浴びせられれば、危機感も高まるだろう。では、若年層はどうだろうか。制限がかかった生活は嫌だし、多くの人と接する可能性がある仕事である以上、早く打ちたいという人もいれば、そうではない人もいる。感染のリスクよりも、副反応のリスクのほうを恐れるという人たちも当然いる。

つまり、問題は高齢者を相手にした「いかに効率的に早く打つか」だけでない。ロジスティクスや、会場や打ち手の確保に難点があるという問題はすべて改善されたのに、肝心の人がやってこないために接種率が上がらなくなるかもしれない。そのための備えが必要で、この先はコミュニケーションや、ワクチンに不安を持つ人たちへ「理解」という問題が起きることを関係者たちは予見していた。「打つのが当たり前」「打たない人がおかしい」では、コミュニケーションは成り立たない。今の社会で往々にして起こりがちなのは「ワクチンを拒んでいる人は、知識が足りないから、知恵をつける情報を送ろう」となることだ。それは結果的に、接種から足を遠ざけることになりかねない。

医療界の格言でいえば「予防に勝る治療なし」。メディアや記者によっては、ワクチンの副反応にばかり注目してしまい、不必要なまでに不安を煽《あお》ることを仕事だと思っている人々が一部に残る。だが、それでは感染症対策は進まない。打ちたくない人が打たなかったとしても、広くかつ早くワクチン接種が進むことで、感染症の流行を最小限に抑えることができる。これが目標だと現場は考えていた。100パーセントの人が接種することも、新型コロナウイルスをゼロにすることもありえない目標だが、流行を最小限に抑えることは現実的かつ目指せるものだ。

子供のワクチンと違って、大人のワクチン接種は少しばかり意味合いが異なる。風疹《ふうしん》のように本当ならワクチンで防げるはずなのに、ワクチン接種が進んでいないばかりに、いまだに流行が繰り返される病気が日本にはある。新型コロナだけが感染症ではない。大人のワクチンは個人を守るだけでなく、自分が所属するコミュニティーや、さまざまな価値観の人々が共存する社会を守るためのものであり、次世代をも守る。それは何らかの理由で、ワクチン接種を受けていない人々も守ることにつながる。

多くの人が打ちやすい仕組みを作ることは、結果的に「ワクチンの接種ができない」人たちの利益にもつながる。ワクチンを打てない人たちを不当に扱うわけではなく、不必要な分断も生まなくて済む。熱心な医療従事者たちは、ワクチン接種を効果的に進める方法を実直に話し合い、最終的にワクチン接種率の向上につなげてきた。号令をかける政治家よりも、現場のほうがはるかに高い意識を持っていた。そして、言葉を尽くすことの重要さも知っていた。

仕事で結果を残すという彼の哲学も大事だが、こうした現場の努力を伝えるために言葉を尽くすことも大切だった。たった1年前のことなのに、ヒラカワは岸田文雄新総裁の誕生で心機一転とばかりにわきたち、菅は過去の人になった。今回、総裁選に立つことなく、河野太郎の支援に回った石破茂にインタビューしたときのことだ。スモーカーの彼は、議員事務所の応接間に置かれた大きなガラス製の灰皿をじっと見つめながら、こんなことを言った。

「総理大臣は自分の命を削る仕事だ。ならないで済むならこんな幸せなことはない、と本心から言える。しかし、誰かがやらないといけないときに、自分の幸せが大事だから、私はやりませんということを、政治家なら言ってはいけない」

一介の国会議員に戻った菅に聞いてみたいことが、もう一つ増えた。

「総理大臣にならないで済むならこんな幸せなことはない、と思いますか」

テーラーの愉楽

「今、きちっとスーツを着ている人を見ると嬉《うれ》しいですか」と生地《きじ》見本をめくりながら、私は聞いた。

「えぇ、それはもちろん」と対面に座った店主は言う。グレーを基調に水色のウィンドウペンが鮮やかなスリーピースを着ている。

「やっぱり新型コロナで人通りが減ったからですか?」

「それもありますけど、かっこいい着こなしをしている人を見るのは楽しいですよ。うちの服を着てほしいなって人もいます。たとえば……」と言って続くのは、ミュージシャンの名前ばかりである。

外苑前《がいえんまえ》の「LOUD GARDEN」は、着道楽の間で少しばかり名の知れたテーラーだ。

この店のショッピングバッグに本や資料を大量に詰め込んで、夏の歌舞伎町で取材をしていたときのことだ。ある場所で待ち合わせをしていたホストグループのトップが、私を見つけるなりつかつかと近づいてきて言った。

「これ、外苑前の道路沿いにある店のですよね？　あそこ、変わったものがいっぱい並んでいて、かっこいいなぁと思っていましたよ。あそこで買うんですか」

ホストたちにとってスーツは勝負服であり、着こなせばどんな服よりかっこよく自分を演出できることを彼らは知っている。グループの若いホストは一流ブランドの黒をベースにした細身のスーツを好み、きらびやかなアクセサリーや腕時計を身につける。いろいろなメディアで見る限り、トップに立つ彼の最良の一着は貫禄あるダブルのネイビースーツだ。一ホストから始まり、さらに年を重ねたトップ経営者らしい箔《はく》と、しかし野暮《やぼ》ったさを微塵《みじん》も感じさせない着こなしが個性を引き立てる。

ちょっと見てくれがいい、くらいでは誰も振り向いてくれない歌舞伎町でトップを張るには相応の審美眼《しんびがん》が必要だ。彼の目を惹《ひ》きつける何かが、この店にはあったということだ。そんな話をすると、店主は控えめに笑った。

「それは嬉しいですね。わざわざ教えてくださり、ありがとうございます」

人通りがめっきり減った通りを横目に見ながら「ＬＯＵＤ　ＧＡＲＤＥＮ」の店主、岡田亮《おかだりょう》二《じ》は恥ずかしそうに礼を言った。外苑前駅から徒歩数分の路面に10坪ほどの店を構えて、まもなく10年を迎えようとしている。

「この店は変わった注文も引き受けてくれる」

そんな評判が広がり、国内外のミュージシャンや俳優の衣装を手がけ、さらに武藤敬司のようなプロレスラー、クリエイターが顧客リストに名を連ねるようになった。店の特徴は、外観に表れている。常時3着前後並んでいるジャケットは、異素材を複雑に組み合わせたり、特徴的なディテールを加えたりしながらも、正統派の美学も漂わせるものになっている。個性的で強い印象を放つデザインは、控えめこそが美徳であり、至上の価値とされるクラシックスーツの価値観とは正反対でありながら、単なる奇抜なものでは終わらない。

創業は2012年6月9日、理由はロックの日だったからだという。岡田は1971年、東京・町田市に生まれた。中学時代にバスケ部の先輩にヘヴィメタルを教わり、やがて音楽の道にどっぷりと浸《つ》かっていく。ギターの名門フェンダー社のストラトキャスターを石橋楽器で買い、高校、大学と熱中したのはバンド活動だった。ロックが好きで、大学時代もプロを夢見て音楽関係のバイトに勤《いそ》しんだ。バイトはコンサートの警備が主な仕事で、お金も稼ぎながら音楽を間近で聴けることが何よりも魅力だった。挫折はそこでやってくる。ロック界のカリスマ、ルー・リードの来日公演で、警備の仕事を担当した彼は信じられない光景を目の当たりにする。客が入っていなかったのだ。ルー・リードはニューヨークの代表的なミュージシャンであり、ボーカルを務めたヴェルヴェット・アンダーグラウンドは、世代を超えて多くのミュージシャンに影響を与えた。アンディ・ウォーホルがデザインしたバナナを描いたレコードジャケットは、幾度となく流行し、Tシャツや小物に取り入れられてきた。大御所でありながら、「過去の人」にとどまることなく、存在感を常に示すような作品を発表していた。それなのに、人は集まらない。

ここで、自分には無理だと思ってしまった。アマチュアならば、好きなものを好きなだけ演奏していても許される。だが、プロは好きなものを買ってでも欲しい、近くで聴きたいと思わせないといけない。一定以上のセールスは常に要求される。相応の覚悟と力がないのならば、アマチュアのほうがミュージシャンとしては幸せな生き方なのだ。

大学卒業後、1995年に洋服の世界に足を踏み入れたのは、音楽の次に好きで、かつ「音楽ほど奥が深くないだろう」と考えていたからだった。一流と呼ばれるデザイナーほど、シンプルな服を好む。極めればシンプルに回帰する。それならば、音楽よりは容易だろうと若者は勘違いした。

「スーツの聖地」として名高い、英国サヴィル・ロウの超一流店「ギーブス&ホークス」の日本展開を手がけていたアパレル企業に就職し、年に数回渡英する中で、紳士服の基礎を現地の職人たちから学んだ。生地の種類、ラペルの形や幅、細やかな角度、肩の見せ方、裏地の種類……。100年以上、紳士服の中心にいるスーツの神髄に触れた。

「彼らから学んだのは、伝統的な『型』です。スーツはイギリス発祥なので、彼らが基本を知っているわけですね。基本を教わりながら驚いたのは、思ったほど伝統に縛られてはいなかったことです」

イギリスのスーツには伝統的な型がある。構築的な肩のラインを作り、ベストまで着用するスリーピースで、パンツはベルトではなくサスペンダーで吊るす。そんなサヴィル・ロウの流儀と彼が思っているものでイギリスに出張すると、工房には驚くようなものが並んでいた。日本の学生服のようなマオカラーのジャケットである。伝統はどこにいったんだという表情で眺める岡田に、ギーブス&ホークスのデザインチーフはこう声をかけた。

「これがおかしく見えるかい？　そうじゃないんだ。お客が求めるものを自由に作る。オーダーメイドの服というのは、もっと自由なものなんだよ」

岡田の尊敬する人物に、サヴィル・ロウに新風を吹き込んだ、トミー・ナッターというテーラーがいる。若くして亡くなってしまったが、彼の顧客にはザ・ビートルズや、ザ・ローリング・ストーンズのミック・ジャガー、そしてエルトン・ジョンといった時代を切り開いたミュージシャンが名を連ねていた。幅広のラペルに、構築的な肩、ぐっと絞ったウエストラインといった独創的なディテールは、少し整えるだけで、今でも通用するデザインだろう。伝統的なスーツとは一線を画し、先端を走るミュージシャンたちが装うことで一つの文化が完成した。

「ここにサヴィル・ロウのテクニックがふんだんに詰め込まれています。あまりにも派手だから、邪道という声もあったでしょう。でも型があるから型破りなこともできる。これがスーツの面白さであり、奥深さです」

岡田は社員時代にオーダーメード店「A WORKROOM」を率い、さらに自身がデザイナーを務める既製服ブランドを立ち上げ、イタリア最高峰の国際見本市「ピッティ・ウォモ」出展も果たした。社内では現地紙でも大きく取り上げられた岡田の姿勢を評価する声もあったが、東日本大震災後の経済危機を経て「採算が取れていない」ことを指摘する声も出た。

40歳を超えた岡田は会社側と店舗とブランドの継続交渉を続けず、退社し、個人で店を構えるという選択をした。東日本大震災のボランティアで、津波で経営していたロックバーを流されたという店主に出会ったことが決断につながった。大きな被害を受けた街で、それでもなお店主は「再建させる。やりたいことをやるのが幸せだから」と語ったという。

岡田が「やりたいことをやる」ため、不惑を超えて踏み出した一歩が、「LOUD GARD

EN」である。彼が採寸を担当し、複雑な注文を可能とする技術を持った職人たちが仕上げる。ただ変わり種を提供する場ではない。店内には貴重なヴィンテージの生地もあり、正統派の一着も注文可能だ。

岡田のやり方は、業界の常識とことごとくかけ離れている。多くのテーラーは顧客中心の商売で、手持ちの在庫をなるべく抱えないようにする。どんな商売でも、小売店の売り上げは「お店で注文するお客の人数×客単価」で決まる。そもそも既製服が圧倒的な中心になっている日本社会で、スーツを一から採寸して作ろうという人は大多数ではない。ステータスとしてスーツを仕立てる人々にターゲットを定めれば、いかにして定期的に新調してくれる顧客を抱えるかが勝負になる。顧客さえいれば、ビルの何階に店があってもいい。むしろ家賃を抑えるために、高層階のほうが都合がいいということになる。

だが、彼は一貫して路面店にこだわった。より正確にいえば、前の店からこだわり続けている。家賃が高くても、飛び込んでくる新規のお客を大事にできるからだ。飛び込み客の一人に、デニス・モリスというイギリスのフォトグラファーがいる。セックス・ピストルズ、ボブ・マーリーといった伝説のミュージシャンを次々と撮影してきた日本でもファンの多い写真家だ。彼は来日中、「A WORKROOM」にいきなりやってきて、「外に飾っているものがほしい」と言った。

「それは既製服じゃないから、注文してもらわないといけないんだ」と岡田は応じた。モリスはその場で注文し、以来、今日に至るまで約15年間、ずっと岡田にスーツを注文している。

「リョウジ、お前の服を着ているとロンドンではすごく注目されるよ。この前、ポール・ウェラーから『それどこのスーツだ』って聞かれたんだ」

ロック界屈指の洒落者として知られ、今なおイギリスのポピュラーミュージックシーンを牽引するミュージシャンが関心を示すスーツであったこと。それを注文した男が嬉しそうに語ってくれること。岡田にはそれが嬉しい。

路面に店があることで、同じようなカルチャーが好きな人が集い、店内でジャムセッションのように「こんな服がほしい」「こういうディテールはどうか」と議論を交わしながら、世界に一つしかない一着を仕立てることが可能になる。彼らがまた外に出てそれぞれのフィールドで岡田の服を着て、新しい文化を創っていく。「洋服屋である前にカルチャーを発信できる空間を作ること」。それが岡田の掲げる理想だ。

新型コロナ禍は岡田の店にも確実に打撃を与えている。店舗営業を「自粛」した2020年4月、5月の売り上げは例年の半分以下にまで落ちた。それも早めに営業形態を切り替え、対面ではなくリモートで、過去の採寸表をもとに注文を受けるという妙手でどうにか作り出した売り上げだ。

東京都の「感染拡大防止協力金」の対象にテーラーを含む衣料店は入っていなかった。生活必需品だから営業してもいいというのが表向きの理由だが、営業時間短縮でも協力金が支給される飲食店との差は明確に示された。いくら都の方針に「協力」しても、店舗を閉めたところで損しかないのだが、外苑前はビジネス街でもあり、一歩奥に入れば住宅街でもある。ビジネスパーソンが通わなくなり人出が減れば、当然飛び込みの客も減る。営業自粛は近隣住民への配慮でもあった。多くの飲食店が休業を選択したエリアで、一店舗だけ開けておいて不安を生じさせれば、その後の商売に支障をきたす。

新型コロナウイルスの流行が始まってから、「不要不急」という言葉も同時に流行した。リモートワークが進み、人と人が会うこと自体が推奨されない状況にあって、「装い」それ自体が「不要」になっている。オンライン会議で映っても問題ない服、リラックスウェアはまだ需要があるが、クラシックスーツなんていらないという流れは止まりそうにない。例年ならほとんど在庫が残らないブランドであっても、「セール品のさらなるセール」に踏み出した。観光客も減り、売り上げはどこも減少している。

その中にあって「LOUD GARDEN」は、店を維持できるだけのセールスをなんとか記録することで踏みとどまった。さすがの岡田も4～5月の売り上げが続いたら、閉店も視野に入れたという。でも、そうはならなかった。これまで買ってくれた客のエールだと彼は受け止めている。もっとも先行きは楽観できない。「装う」場が減った以上、テーラーにとって最も重要な秋冬ものを新調しようという需要は減少するだろうし、一度リラックスウェアで仕事をしても問題ないとなった社会で、スーツの居場所はさらに少なくなることは目に見えているからだ。

オーダーメードの世界は基本的に自己満足から始まる。こだわりはわからない人にはまったくわからないし、興味を持たれることもない。だが、縁は実際に出会うことから始まる。少数であっても、一目見て違いがわかる人は服に宿る価値を見抜き、さらに違いがわかる人へと縁をつなぐ。それらのすべてが大事な付き合いに成長していく。どんな時代であっても、人間は洋服を「必要」としてきた。「装うことで人生はエキサイティングになるのです」と岡田は言う。装いは、人生を豊かにするツールでもある。新しい文化を必要とする人がいることは売り上げが証明してきた。

「ほんとうに閉店を考えるときは……」と彼は冗談めかして言った。

「店の前を車で通ったブルース・スプリングスティーンが、車を止めて降りてきて、注文してくれたら『よし、夢が叶った。もうやめてもいいや』って思うかもしれないですね」

音楽を愛する彼らしい、悪くはない答えだ。

赤坂の小さな家

休日の早朝からＴＢＳラジオに出演し、ラジオ局近くのカフェで朝食をとった後、静かな赤坂の街を散歩していた。赤坂といえばネオンが光る華やかな街で、およそ朝は似つかわしくない。私はほとんど人とすれ違うことがない朝の赤坂の空気は嫌いではない。無数にある飲食店から出てくる、積み上がったゴミ袋の山は「活気」のバロメーターであり、閉店の張り紙や新規開店の仰々しい看板は流行のサイクルを教えてくれるからだ。

その日歩いていると、赤坂らしからぬ二階建てのカフェを見つけた。正確には、二階はホテルで、一階部分はカフェとなっている小さな古民家だ。一階は一面明るいガラス張りで、二階には生活感が残っている。さらにおやっと思わされたのは、「東京零年」と題した写真展示があったことだ。鍵がかかっていて、まだ営業前だったが、ガラス越しにのぞくことができた。１９４５年の東京を中心に撮影された写真とともに、同じく１９４５年の敗戦――アメリカにとっては勝利――直後のダグラス・マッカーサーを表紙に据えた『ライフ』誌などがずらりと並べられていた。違和感だらけの外観である。東京の中心地で、１９４５年を問い直すような展示……。一体、誰がこんなことを考えたのだろう。

「やっぱり赤坂に似つかわしくない展示って最初は思いますよね。でも、僕は赤坂でやることに意味があると思っているんですよ」

一階のカフェでビール片手に話すのは、ここ「東京リトルハウス」を運営する深澤晃平《ふかざわこうへい》である。フリーの編集者として人文書の編集や地図製作に携わってきた。42歳の深澤にとって、「東京リトルハウス」は90年代前半まで祖母が、そして２００１年から10年以上にわたって彼が実際に住んでいた木造二階建ての「小さな家」だ。だが、ただの家ではない。１９４８年からこの土地に建っている家だ。

この家の歴史は、彼の祖父母が戦前に地方から東京に出てきて、当時一大繁華街だった築地で働いたことから始まる。祖父は仕出し屋に勤め、祖母は仕出し屋の系列にあたる不動産管理の仕事をしていた。一家は戦況の悪化とともに、一時的に親族を頼って新潟へとまだ幼い娘とともに疎開し、戦後に再び東京に戻った。元々働いていた築地の職場からあてがわれたのが、まだバラックが残っていた赤坂の一角だった。

築地の仕出し屋は実にしたたかに主要な顧客を日本軍から、GHQ（連合国軍総司令部）、新しい日本の要人相手に切り替えて商売を続けていた。祖父を店主に赤坂の一角に飲食店を出すという話もあり、そこを見越しての引っ越しだったようだ。計画は最終的に立ち消えとなり、家だけが建つ。

当時は、新築に使える建築資材も世帯人数によって制限がかかっており、平屋分しか資材を調達できなかった。施工を担当したのは、戦中に防空壕《ぼうくうごう》を作っていた大工で、職人が気を利かせ、あとからでも増築できるように二階部分を半分だけ作った。7年後に全体が完成し、今とほぼ同じような外観が出来上がる。

「これは母から聞いたのですが、家が建ったばかりのころ、祖母は『やっぱり築地に帰りたい』と愚痴をこぼしていたそうです。戦前を知る祖母にとっては、東京の繁華街で一流といえば『海軍の街』として栄え、劇場街でもあった築地で、赤坂は明らかに格下だったようです。多少料亭なんかはあったけど、中心ではなかった。それが祖母には不満だったんですね」

祖母が愚痴をこぼさなくなったのは、東京の戦後復興期にあたる1950～60年代、1964年の東京オリンピックを前に赤坂が急発展してきてからだ。TBSが本社を構え、伝説のクラブ「ニューラテンクォーター」も誕生した。ナット・キング・コールがやってきて、力道山が刺された、昭和を彩った名物クラブである。この時代を境に赤坂は政財界、そしてトップタレント・文化人が往来する街へと変貌《へんぼう》していく。築地から赤坂へ。東京の中心もまた動き出していた。そして時代は五輪を経て高度経済成長へと向かう。

バブル期には地上げの対象となり、深澤家にも数億円規模で買い取るという話がたびたび持ちかけられていた。両隣も向かいもすべてビルとなり、次々と土地は埋まっていった。家をビルに建て替える、土地ごと売るという話は成立しかけたこともあった。しかし、祖母は最後まで首を縦に振らなかった。何か高尚な思いがあったわけではない。そこにあったのは、自分が慣れ親しんだ環境を人生の最後で手放したくないという、どこの家族にもありがちな感情だ。大事なのは、理由はどうあれ彼女が土地と建物を残したという事実だ。

学生時代から赤坂に住んでいた深澤が、ぼんやりと描いていた「計画」を本格的に始動させたのは2010年代も後半に差し掛かろうとする時期だった。都市の中心に位置しながら、「戦後日本」を感じさせる空間を広く開放して、宿泊施設にしてみるのは面白いのではないか。一階はギャラリー兼カフェにして、滞在した外国人や訪れた人たちが東京の歴史を知る機会を作ることができれば、もっと面白い――。2017年から深澤の妻でありライターとしても活躍している杉浦貴美子と、友人で翻訳家のサム・ホールデンが中心となり、プロの指導のもと自分たちの手でリノベーションが始まった。

六畳二間の部屋の壁を取り壊し、断熱材を入れたり、二重窓にしたりと防寒を徹底した一方で、建築当初から木製建具の窓はそのまま残した。祖母が座右の銘にしていた「恩は石に刻め恨みは水に流せ」という張り紙も残している。一階のカフェに設置したトイレには、祖父母が使っていたお釜を、そして入口のドアノブには下駄《げた》を転用した。住み心地を良くする工夫と、「昭和」を感じさせるノスタルジックな風情を両立させる方針は、深澤の目論《もくろみ》見通り欧米からやってくる観光客に最初に受け入れられた。

2018年2月のオープンからわずかな告知で部屋は連日埋まった。一回につき一組限定、宿泊費は一泊あたり3万円で、3人目からアップチャージを取る。しかも最低でも3泊からしか受け付けないという設定であるにもかかわらずだ。この設定は絶妙だった。一見強気のようだが部屋の広さと設備、なにより赤坂という立地からすれば決して高すぎることはなく、3泊からにしたことで平日と週末が偏りなく埋まる。しかし、それも2020年はほとんど稼働しなくなった。ビールを飲み干しながら、深澤はこう語る。

「僕は、都心の赤坂で東京の原点を伝えることにも意味があると思っているんですよ」

そのプロジェクトは、「歴史感覚」を刺激するところにポイントがある。終戦直後の東京の写真を収集・研究してきた佐藤洋一（早稲田大教授）が手がける「東京零年」を、なぜ赤坂で展示するのか。焼け跡が残る東京の姿をなぜ発信し、今となっては相当に貴重な史料をインテリアのように飾っているのか。それは赤坂という街、もっと広くいえば東京の中心部が、「零」から戦後復興に動き出した街であるにもかかわらず、ルーツがすっかり忘れられているからだ。

深澤には驚いたことがある。カフェにやってくる若い女性たちが何気なく語った一言だ。彼女たちは展示された東京の写真を見て、「これって東北の写真かなぁ」と言った。彼女たちは2011年の東日本大震災の光景は覚えていても、過去の東京とその光景がリンクしていない。何もなくなった街は、東北沿岸部ではあっても、東京ではないと思ってしまうこと。そこに東京ならではの面白さがある。過去と現在が見事に切り離され、歴史を物語る建造物はほとんど残らず、75年前には焦土だったことを思い起こさせてくれるものも街には残っていない。だから、想像力を刺激することでしか、私たちが新しい戦後東京の始まりに触れることはできない。そんな世界の都市との決定的な違いとも言えそうだ。


「例えばいかに戦争が悲惨なものだったか、東京大空襲で何が起きたかという個々人の体験談は、かなり蓄積があります。ですが、当時の人々がどのような風景を見ていたか、上空からは何が見えていたかという視覚史料はまだまだ埋まらないピースばかりなんです」

深澤が「これは貴重ですよ」と手渡してくれたのが、展示していた『東京一九四五年・秋』という写真集だ。版元は文化社で、当時としては高品質の紙を使い、贅沢《ぜいたく》な印刷になっている。

関わっている人物たちの名前を見れば、どういう性格の雑誌かはすぐにわかる。文化社の前身は、プロパガンダ雑誌『ＦＲＯＮＴ』を出版していた東方社で、写真家の木村伊兵衛ら主要メンバーも重なっている。彼らは戦争が始まった時はプロパガンダに加担し、戦争が終わると今度はあっさりとＧＨＱの意向を踏まえたような親米的な一冊を作った。

同書の冒頭に掲げられた仏文学者・中島健蔵の一文が象徴的な役割を果たしている。

「今の東京は、まだ病後である。都市と呼ばれるにはまだ遠く、たえまのない注射と輸血、さういふ手当によつて、からうじて歩き出したばかりである。切開手術のきづあとがまだなまなましく残つてゐる。その傷口を縫つてゐる糸は、英語の道標だ」

当時の文化人の心境はおよそこんなところだったのだろう。簡単に言ってしまえば、戦争というのは「傷病」で、傷口はいたるところにあるが、縫合するのはアメリカだ。家路を急ぐ人々、闇市、そして英語の看板……。おそらく本人たちの意図を超えて、ここに詰まった写真と文章は当時の人々の息遣いと心情を今に伝える貴重な史料になっている。

思えば、大量に糸で縫われた街の一つは赤坂である。彼の地《か》で東京のルーツを読むことで、外を歩いている時、街の見え方が少しだけ変わる。私が「その感覚にこそ意味があると思う」と伝えると、深澤も「僕もそう思っています。もしかしたらそんなに理解されないかもしれないけど……」と笑った。

「東京リトルハウス」という名前は、１９４２年にアメリカで出版された絵本『ＴＨＥ　ＬＩＴＴＬＥ　ＨＯＵＳＥ』（邦訳書『ちいさいおうち』岩波書店）にルーツがある。静かな田舎の丘の上に建っていた民家が、都市開発の波にのまれ、ビルとビルとの間に立つ「小さな家」になり、やがて郊外へと移っていく――。戦争を色濃く残した時代に建ち、東京の原点を知りながらも、赤坂に残る「小さな家」はどこにも移らず、形態を変えながら東京の未来を見つめ続ける道を選んだ。

荒波は押し寄せている。でも、簡単には屈しない。その姿はどこかで戦後の東京につながっているように思えた。

劇場

「あれはびっくりしましたね」とｓｈｅｌｆ（シェルフ）という小さな劇団を主宰する矢野靖人《やのやすひと》は言う。２０２０年10月、上半期の活動がほぼ自粛で終わったシェルフは、目黒通り沿いに建つ「ＣＬＡＳＫＡ」のギャラリースペースで、久しぶりの新作公開にこぎつけた。タイトルは「Ｒｉｎｔｒｉｋ——あるいは射抜かれた心臓」。

普段は新作のために1カ月ほど稽古《けいこ》を重ねて公演に臨むのだが、感染症対策を最優先すると決めて、対面の稽古は10日に短縮した。オンラインで台本の読み合わせを繰り返し、ストーリーや役についても入念に話しあったつもりだった。ところが、である。

「これまで何をやっていたんだろうって思ったんですよね。最初にみんなでリアルに会って、稽古をしたときに気がつくことが多すぎて。この戯曲が表現していることの意味、自分の役を僕はほとんどわかっていなかったなと」

こう語るのはシェルフの新作に参加した俳優の綾田將一だ。演出した矢野の考えも同じだった。公演にたどり着くまでの時間は、これまでと何もかもが違っていた。感染症の専門家を交えて、劇団でガイドラインを作り、稽古でも公演でも対策の徹底を求めた。稽古からマスクを着用し、距離も取り、定期的に換気もして、連日の検温も当然のようにした。

そこまで管理して臨んだ最初の対面での稽古で得られるものに比べ、オンラインで得られる「情報」はあまりにも少なかった。そのことに綾田も矢野も驚いていた。さらに驚いたのは——彼ら2人に加え、矢野の妻で劇団の役者でもある川渕優子も共通して感じていたことだが——マスクを外しての公演を重ねることで、役者同士の理解が深まり、作品がますます輝いたことだった。

2020年を象徴するのは、例えばこんなニュースである。新型コロナ禍でオンラインの会議システムとして、一躍知名度を上げた「Zoom」の有料契約者数がこの1年で14倍に増え、日本での売り上げは100億円を超えた——。自分たちが対面でないとできないと思っていたことの多くが、実はオンラインで代替可能であると知った。マスクを着けて、わざわざ対面で会うより、画面越しに会う方が安全であり、効率的であることを知った。しかし、確実に「何か」を勘違いしている。代替しているつもりで、本当は代替できていないものがあるにもかかわらず、それを見ないようにしている……。

矢野は1975年、愛知県に生まれた。北海道大学在学中に演劇の世界に飛び込み、1999年から数年、平田オリザが主宰する劇団「青年団」に所属した。彼自身は今でも決して有名というわけではないが、国際的なつながりも得て、公的な助成も受けながら長く活動を続けてきた。そんな彼にとって、2020年は演劇人として、新たなキャリアを積み上げる一年になるはずだった。

2月には、矢野が演出を任されていた北京の子ども劇団との共同制作プロジェクトが予定されていたが、新型コロナ流行を受けて、矢野自身の北京滞在ができなくなったことで日本公演も、中国国内の巡回公演もすべて中止となった。10月には、インドネシアの劇団「Lab Theater Ciputat」との共同プロジェクトも控えていたが、これも当初の予定から変更を余儀なくされた。

プロジェクトの発端は2015年である。富山県利賀《とが》村を拠点に活動を続ける日本演劇界のレジェンドにして、世界にその名が知られる鈴木《すずき》忠志《ただし》が主宰する劇団SCOTが取り組む演技メソッドのトレーニングに、矢野の参加が特例で許可された。「特例」というのはこういう理由からだ。日本の演出家はそもそも対象ではなく、海外の演劇人のみをトレーニングの対象にしていた。参加に際しても、いくつかの条件があったが、矢野にとってはさほど問題ではなかった。ノルウェー、中国、韓国、アメリカ……。世界各国から鈴木の指導を受けたいと集った参加者と交流を深める中で、矢野はインドネシアの演出家、俳優と意気投合し、ある計画を立ち上げる。

第一段階として、シェルフがインドネシアの作家の作品を、インドネシア側は日本の作家の作品を題材にそれぞれ舞台化して上演する。次に第二段階でお互いの上演作品をベースにして新作を共同制作し、日本とインドネシアでツアー公演をするのはどうか。計画は実現に向けて動き出し、資金的な援助も決まった。

先方が選んだのは三島由紀夫の『近代能楽集』の一編「卒塔婆小町《そとばこまち》」だった。彼らはミーティングで、三島の「武士道」とは何かを語った。アカデミズムの知見も貪欲《どんよく》に吸収しながら大胆に解釈し、再構築した「卒塔婆小町」を作り上げていた。SF的な要素を取り入れ、舞台を近未来に変えて、コロナ禍の世界も反映させたものへ。時折、送られてくる稽古の映像を見ても、およそ「卒塔婆小町」を演じているようには見えなかったが、極めて現代的かつ自由な三島の解釈がそこには表現されていた。

シェルフが取り組んだのは、インドネシアを代表する現代作家ダナルトの短編小説「Ｒｉｎｔｒｉｋ」の舞台化だった。日本語訳がないので、矢野が英訳されたものを読み、舞台化に踏み切った。インドネシアの作家について、日本語での情報は最後まで少なかったが、矢野自身は手応えを感じていた。「イスラムの信仰に関わる問題が主題の小説でしたが、読んでみてまったくわからないという作品ではなかったです。かなり現代的なテーマを含んでいたからです」

その真意を探るために、矢野自身の作品紹介から引用しよう。

《かつてとても美しかった谷があった。若い恋人たちや旅行者の多くが訪れたその谷は、しかしいつの頃からか若い恋人たちが生まれたばかりの自分たちの赤ん坊を投げ捨てに来る場所となってしまった。それも日に20体、30体という赤ん坊の遺体が投げ捨てられるようになった。あるときふらりと現れてその谷に住まうようになった盲目の老女リントリク。彼女は雨の日も嵐の日もただ捨てられた赤ん坊を拾い埋葬し続けた。最初は彼女の存在を恐れた村人たちもいつしか彼女を畏《おそ》れ敬うようになっていった。

ある夜、一人の若者がリントリクのもとに赤ん坊を抱えて訪ねてくる。その赤ん坊を若者は埋葬してくれとリントリクに願う。その後、その赤ん坊の母親である若い娘と、娘の父親である猟師が現れ……》

ここで描かれているのは、喪失の物語だ。おそらく矢野自身も期せずして2011年、そして2020年からの世界とリンクする物語を得ていた。インドネシア側の来日こそ叶《かな》わなかったが、矢野は自分たちだけでも先行で上演することにこだわった。救いだったのはプロジェクトに関わる人々が、計画そのものは止《や》める気がないということを確認できたことだった。まだ、計画は生きている。

とはいえ、彼らにも現実は差し迫っている。綾田は例年、この時期はほぼ地方に出張しており、東京にはいない。小学生を対象にした演劇のワークショップを受け持っていたのだが、コロナ禍でキャンセルが相次いだ。一度無くなった時間が復活するかどうかは決まっていない。川渕も兼業している事務の仕事が減ってしまった。それでも、彼らは舞台を続ける道を選ぶ。


矢野には忘れられない2020年の光景が二つある。一つは横浜市内のある中学校で見たものだ。中学2年生を対象に開いた授業である。マスクは当然、全員が着用しており、中にはフェースシールドを着用している生徒もいた。普段なら冷ややかな視線も飛んでくる授業だが、彼らは全力で身体を動かしていた。日常が一変した学校という場で、生徒たちは身体的な感覚を回復できる何かを求めていたように矢野には感じられた。

もう一つは、新作上演後に起きた些細《ささい》な、しかし重要な出来事だ。マスク着用を徹底し、客席と客同士の距離も保った上で、10〜15分というほんのわずかだが、会場に来た客と劇団関係者、俳優たちとの交流の時間を設けた。感想を語らい、友人なら近況を報告しあう。いつもなら当たり前のようにある何気ない時間だが、今は特別な時間になっていた。

劇団でクラスターが発生したというニュースは、何度も流れた。感染者を出した劇団は謝罪を繰り返したが、その度にあふれたのは、感染症が流行している時期に演劇をやるなんて常識を欠いている、あるいは演劇は「不要不急」であるという声だった。ここには演劇を必要とする人たちがリアルにいることをあらためて確認できた。「本番中も、今年はお客さんがいつもよりも演劇を欲しているように思えた」と川渕は言う。

矢野は劇場を「広場」に例える。一つの場に日ごろ、お互いをまったく知らないリアルな人間たちが集まり、同じ演劇を見る。そして、上演後の交流の時間や近くのカフェで、うっかり他の人の感想を聞いてしまうことで、違う感想を持った人間がいることを知る。演劇そのものも大事だが、実はもっと大事だったのは交流の場として劇場があることではないか、と矢野は考えている。

「自分たちが何気ないことだと思っていたものが、実は本当に大切だったのです。なんでヨーロッパの劇場にカフェやパブが併設されているのか。それは、上演後に繰り広げられる交流が生まれる場であり、彼らがその時間を大切にしているからです。僕も大切にしたいとあらためて思いました」

彼は人間が集まって、空間を共有してものづくりをしていくことの価値を再発見した。結局のところ、オンラインでは、空間と人間同士の交流を共有できない。どんな人が集まっているかもわからない。伝えられるのは、演劇の「映像」と「音声」だけで、その後の交流はないまま終わる。これでは広場としては機能しない。

別れ際、私の目をじっと見て、綾田がこんなことを言った。

「同じ空間にみんなが集まって、同じものを共有して、正解のない問題を考える。この話ってどんな話なのかとか、この役ってどんな人なんだろうって考える。そんな時間を作るのに優れているものの一つに、演劇があると思うんです。今はこういう時間が本当に大事なんじゃないですかね」

本質を突いた言葉だった。危機に直面した彼らが発したリアルな声は、今の社会を考える一つのヒントになっている。簡単に正解が出ないことばかりなのに、自分こそが正解を知っていると言っている人間がこれだけ多くあふれる。小さな「違い」が耐えられないものとして浮かび上がり、やがて非難の対象になる時代にあって、異なる考えを受け止めるものがあるとしたら……。

電話の向こうで

ふふっと思わず笑ってしまったのは、彼女がワンコールもしないうちに電話に出たからだった。

「久しぶり。電話に出るのが早いね。さすが、若手記者だ」

「そりゃあ、私だって電話に出るのは早くなりますよ」

10年前、彼女は東日本大震災の「被災地」に住む10代の一人だった。しかし、内陸部に住んでいた彼女は津波を直接経験することはなく、さらに加えれば、ある事情が重なり、地震の揺れも、被災後の混乱も経験しなかった。周囲はそれを幸運だと言ったが、仲の良い友人はあの津波で親族を亡くしていた。

友人が一番辛い時に、側《そば》にいることができなかったどころか、苦しみの一部すら自分は経験することができなかったことが負い目になり、やがて彼女は震災そのものから逃げるようになった。

私が彼女と初めて会ったのは、ちょうど彼女が東京の大学生で、就職活動をしていた時だ。

ちょっとした縁が重なり、私は新聞社かテレビの報道部門を目指したいという彼女の作文やエントリーシートを見ることになった。最初は、これでは面接試験に進むのも難しいだろうなという凡庸な題材と文章だった。私はエントリーシートにさらりと書かれていた友人と震災のエピソードを主題に書き直すことを勧めた。何度も手を入れる中で、結果的に彼女は封じ込めてきた自分の震災体験と向き合うことになった。

それは心にできたかさぶたを、自分で引きはがすような、痛みを伴う苦しい時間だったはずだが、彼女は自らの震災後の軌跡と、「苦しい経験」をしていないという葛藤を見事に言葉にしてみせた。時間は文章に迫力を与えた。そこまでいけば、私にできることはそう多くはない。しばらくして、彼女からある新聞社に内定をもらったという報告を聞き、ささやかではあったが、友人の記者も呼んで祝賀会を開いた。そこで彼女は災害報道をやってみたい、と目標を語っていた。私は、震災や原発事故を当時の10代が報じる記事を読んでみたいね、と言って、送り出すことになった。

そして――。

「元気でやっているようで何よりだね」
「うーん、元気といえば、元気ですけどね。それでも大変ですよ。まぁでも、やっとこれはしっかり力を入れてやりたい取材と、振られた仕事だからすぐに終わらせないといけないなっていう仕事の区別がつくようになりました」

「新聞記者になってみると、紙面づくりの現場できれいごとばかりじゃないなってわかるでしょう」

「そうですね。私、台風の現場に行ったんですよ。河川が氾濫《はんらん》した水害の現場ですね。起きた直後から毎日のように通ったんです。その時は本社からも応援は来たし、私も若手だから、まず現場ということになったので、行ってみたら、もう匂いもすごいし、壊れている家や建物もあるし、汚泥もひどかった。あっこれが東日本大震災と近いのかなって思える現場だったんです。避難所の取材もしたし、被災した方にお話も聞いたんですけど……」

「うまく記事にできた?」

「最初は、やっぱりデスクからの注文をこなすばかりでしたよ。夕刊の締め切りまでに避難所にいる人たちを取材して、かぎかっこ(コメント)をとってきてとか、写真を送れとか……。でも、夕刊作業の時間と重なる午前中はみんな忙しいんですよね。それも当たり前で、水害の片付けも夜はできないから、早くやらないといけないし、季節が変わるまでには片付けたいという思いはありますよね。

忙しい人たちをつかまえて、原稿を送っても、せいぜい社会面で数行しか載らない。記事を読んでいる人も、これだとさらっと読んで、終わりだと思ったんですよ。これは人の役に立つ記事なのかなって」

「社会面の仕事は被災全体を見るから、どうしても、パーツを集めてという仕事になるからね。でも、そこで疑問を持たないで、慣れてしまうのもダメだとも思う。疑問を持ったままでいいんじゃないかな」

「本当ですか？　会社も若手を無理させちゃいけないからって、午後5時か6時になると取材を終えて撤収してもいいと言われるんですよね。でも、私は、昼間はゆっくりお話が聞けない人でも、夕方なら少しは落ち着いて話が聞けるんじゃないかと思って、もう一度、戻ったんですよ。そこであるご夫婦に出会ったんです。浸水被害に遭った自宅を処分するか、手を入れて住み続けるかを悩んでいる方で、最後まで決められないっていうお話を伺ったんです」

「良い方法だと思うけど、悩んでいるってままなら、新聞に馴染《なじ》むような話じゃないし、取材はともかく掲載は大変だったんじゃない？」

「でも、掲載したんですよ。その人を取材していると、あぁこれがリアルな姿だよなって思えてきたんです。災害に遭って、ほんの数週間とか、1カ月ですべてを決めるってことはなかなかできないじゃないですか。自分だけではなくて、家族の事情もあるから。でも、現実には現場で悩んで、手を動かしている人がいる。それを私は知っているから、ちゃんと描きたかったたんです。掲載した新聞を渡した時、踏み込んだことも書いてしまったから、もしかしたら気を悪くするかもしれないと思ったのですが……」

「そしたら？」

「良い記事をありがとうって言ってくれたんです。それはすごく嬉しいことで、今でも仕事を続けている理由だと思います」

「やっぱりやめたくなる時期もあったんだ」

「私の場合、最初は毎日があっという間に過ぎていって、先のことなんて考えられないみたいな時間でしたね。でも、少し周りが見えるようになると、一体何をやっているんだろうって思うようになってきて、そういう時にやめてもいいかなと考えたこともありました」


私は、そこで気になっていたことを聞いてみた。２０１１年から10年という時間を迎える。震災報道は、一つのピークとなるだろう。学生と新聞記者、立場が変わったことで、震災の受け止め方に違いは出てきたのだろうか。

「うーん、私も震災の取材で、沿岸部の街に行ったんです。そんなに長い期間の取材ではなかったし、結局、おじいちゃん、おばあちゃんや支援に入った人たちのお話を聞いているだけで、記事にならないまま終わったんですよ。そこで思ったのは、あの震災を語ることに罪悪感があったのは私だけじゃなかったんだってことでした」

「どういうところでそう感じたの？」

「地域の集まりに顔を出すと、みなさん、自分の被災経験を語ってくれるんです。そこで、よく聞いたのは、自分よりも大変な思いをした人がいる、私なんて大したことがないって話なんですよ。自分よりも大変な人がいるのに、語ることが申し訳ないっていう人もいます。でも、お話を聞いていると、それぞれに大変な経験をしていることがわかるんです。

　まだ大学生の時だったかなぁ。ちょうど就活の前後だったと思うんですけど、学生時代の恩師に、自分は震災について、何も言ってはいけないっていう罪悪感があるって電話で打ち明けたことがあるんです」

「確か、若い女性の先生だったっけ？　そんな話も聞いたような気がするな」

「そうです、そうです。その時、先生も『私も罪悪感があるよ』って言ってくれたんですよ。先生も同じ県の出身だけど、内陸の方の生まれで、被災が特にひどかった地域と関わりがあるわけではない。だけど、学校に行けば肉親を亡くした生徒もいれば、ひどい被害を受けた生徒もいる。

　今は津波で被災した地域に生徒を引率して、震災を考える時間も作っているそうです。先生はこんなことを言っていました。『最初は連れて行っている自分に何がわかっているんだって思ったよ。辛い経験をした生徒の気持ちがわかるかっていえば、わからないと思う。でも、それでもあの日をそれぞれに経験した私たちは、やっぱり被災者なんだよね』って。先生も、そしてお話を伺った街の人たちにもどこか罪悪感があるんだって知ったことで、私は気持ちが楽になったかな」

「そういう話も、いつか記事につながると思うよ。今すぐに記事にできなくても、何年越しかで記事になることだってあるからね」

「今はまだ向き合えないって人もいますし、伝えたいという人もいれば、少ししか語ることができないって人もいますよね。いつかは語れる時が来るのを待っている人もいる。そんなの当たり前なんだって思えるようになりました。私も仕事でコメントを取るようになりましたけど、まだその時じゃないって人もいますからね。そういう人を待っている時間も大切ですよね」

待つこと。その価値をさらりと彼女が語ったことに私は驚いていた。そこで、駆け出しの新聞記者時代に出会った犯罪被害者遺族の話を彼女に伝えた。少年事件で息子を亡くした母親の話だ。ある時取材の合間に、その母親は私にこんなことを教えてくれた。曰《いわ》く、新聞記者は事件の直後、自分たちがいちばん誰とも話したくない時間に集団でやってくる。「節目」を勝手に作ってはコメントを取りにやってくる。だけど、ようやく心が落ち着いて、事件のことを振り返れるようになり、誰かに事件のことを話そうと思った時には誰も側にいないのだ――。

それは結論を急ぎがちな若い記者の取材姿勢を諌《いさ》めるために伝えてくれた、と今なら思う。その日の私は、母親のコメントで記事を書かねば、と焦っていたのだ。この日を境に取材スタイルは少しずつだが変わっていった。あの時の言葉がなければ、震災に対する向き合い方はまったく違うものになっていたかもしれない。あれから10年というのはメディアの都合、もう少しはっきりと書けば、単なる記号でしかない。10年経とうが、2031年になろうが、それぞれに悲しみを抱きながら、誰かに話すことを待っている人もいるという想像力を持つこと。それが大事なのだと思えるようになった。

「だって、それが現実ですもんね。私もそうですけど、人間は大切なことを人に話す時って、頭の中で考えながら話すじゃないですか。きれいにパッケージ化されたような経験談を語れるのは、それが本人の中できちんと決着して、時間が経っているからですよね。向き合って考えているから、変わりもするし、揺らぐし、整理なんてされていない。まだまだ聞けていない話はたくさんありますよね……」

自分に語る資格があるのかと葛藤し、災害の現場で葛藤し、そして理想ばかりでは片付かない現実の中で、伝え方を模索する。彼女の10年は、確実に成長し、大切な時間を過ごす10年だったようだ。嬉しくなった私は、最後にこんなことを言って電話を切った。

「明日からも頑張って。次は電話じゃなくて会える日を、これぞという記事を楽しみにしている」と。

歌舞伎町一番街
DOUTOR
焼肉
3F
4F

名指しされた人々

「そもそもメディアが、僕たちにとって一番の敵でしたね」

その口調に深刻さは無かったが、軽く伝えられることで、直面していた事態の重大さがわかることもある。

新宿駅東口を降りて5分も歩かないうちに、歌舞伎町の入り口にたどり着く。12月の昼は短い。午後6時を過ぎれば、あいも変わらずケバケバしいネオンが鮮やかに街を彩り、これから出勤というホストたちが街を闊歩している。振り返れば、2020年にこれほど嫌われた街もない。この日私は、この街のライブハウス「ロフトプラスワン」で開かれるトークイベントの聞き手を務めることになっていた。

指定された時間の少し前に、真っ赤な「I♡歌舞伎町」ネオンが目印の歌舞伎町・林ビル地下二階に降りる。この日の主役は歌舞伎町の元カリスマホストから経営側に回り、歌舞伎町の一大グループ「Ｓｍａｐｐａ！ Ｇｒｏｕｐ」を率いる手塚《てづか》マキだ。彼がその名も『新宿・歌舞伎町 人はなぜ〈夜の街〉を求めるのか』（幻冬舎新書）という一冊を刊行した。編集者から、歌舞伎町で刊行記念イベントをやりたいので聞き手を務めてほしいというメールをもらった私は、すぐに「ぜひ、やりたい」と返事を出した。

迷う必要はなかった。理由は3点に集約できる。第一に手塚には恩があり、何かで返したいと思っていたこと。第二にライブハウスもまた新型コロナ禍で苦境に立たされており、ここを舞台にする仕事は断らないと決めていること。そして第三に２０２０年末の歌舞伎町で、歌舞伎町のキーパーソンと語り合うことに大きな意義があると思ったこと——。

夏の新型コロナウイルス第二波は、この街が流行の一つの拠点になった。記録こそされていないが、行政や専門家が連呼した「夜の街」という言葉は確実に流行語だった。それは昼の世界とは違う、「特殊な人々」の間で感染症が流行していることを示す言葉になり、社会に「感染」していった。街を封鎖せよという声は専門家やメディアの間でも少なくない人々が主張し、世間の空気はそれを支えた。手塚の「メディアが敵」という言葉は本心から出てきたものだ。

私は「ニューズウィーク日本版」（２０２０年８月４日号）に、歌舞伎町のルポルタージュを掲載した。当時、取材の原動力になっていたのは、メディア業界の端くれにいる人間の義《ぎ》俠心《きょうしん》のようなものだったと思う。歌舞伎町が流行の着火点になっていることは間違いない。だが、事実は時に差別や偏見を助長する根拠になってしまう。「特殊な人々」は、いつでもそのターゲットになる。危険ばかりを取り上げるメディアの欲望は、この街で暮らしている人々の排除に向かって動いていたように私には見えた。欲望を端的に表現すればこうなる。彼らさえいなくなれば、新型コロナの恐怖から私たちは解放される、と。

あの時点で、歌舞伎町を封鎖したとして、稼げなくなってしまったホストたちはどうなってしまうか。彼らは別の街に職を求めて、歌舞伎町を出て行く。そうなれば、あちこちの繁華街で感染が拡大し、より手に負えない事態になっていただろう。この街にたどり着かざるをえなかった人々はどうなってしまうのか。社会の中で居場所を失うリスクを抱えてしまう。より強い言い方をすれば、少なくないメディアは目先の感染症対策ばかりを見て、生きている人間が見えていなかった。

ルポの取材をするために、大きな協力をしてくれたのが手塚である。彼の名前だけは昔から知っていた。ホストクラブやバーの経営にとどまらず、ホストたちのボランティア団体を立ち上げ、何かと閉じがちな歌舞伎町の世界を広げ、社会との接点を模索する存在としてである。

そのイメージは間違っていなかったが、私が想像していた以上に手塚は実践の人だった。自身が窓口となって新宿区の行政、保健所とも連携を強めた。当初は決して関係が良いとは言えなかったホストクラブと行政の間をとりもち、やがてキャバクラなど他業種も巻き込んで歌舞伎町をはじめ飲食店街の検査体制を確立する。無論、彼一人の業績というわけではないが、手塚がいなければここまでスムーズに事は進まなかったことは、行政サイドの幹部クラスを含めて関係者全員の一致する見方だ。あの時の新宿で起きていたこと――。

新宿区長・吉住健一《よしずみけんいち》が、すがるような思いでフェイスブックのメッセンジャーを起動させたのは２０２０年6月1日のことだった。5月25日の緊急事態宣言解除後に、彼は２０１４年の区長初当選以降、最大の危機を迎えていた。吉住は、旧知の間柄であり新宿歌舞伎町でホストクラブやバーなどを経営するキーパーソン――そして、歌舞伎町商店街振興組合常任理事でもある――手塚にこう送った。

「会って話したい。教えてほしいことがある」

新宿区保健所――。歌舞伎町とゴールデン街に挟まれた新宿区役所から徒歩5分程度、新宿三丁目駅に直結する庁舎1階の一室に、感染症対策を担う担当課長、係長の医師が3人、そして保健師10人の机が並んでいる。5月下旬、新型コロナウイルス対策最前線で感染経路を追う新宿区の保健師たちから、悲痛な声が上がっていた。管内に特定感染症指定医療機関があり、かつ長年ＨＩＶなど感染症対策にも取り組み、この業界で「日本屈指の経験値を持つ」と評される保健師たちである。彼らに対応できないこと、それは対策の行き詰まりを意味する。

コロナウイルスに感染した患者、クラスター（集団感染）として報告が上がってきた中に、どう見てもホスト特有の外見の若者たちがいる。だが、彼らは調査に対し、大事なことを何も明らかにしなかった。「無職です」と歌舞伎町で働いていることを頑として認めず、接触者についても「言いたくありません」と口を閉ざす。現場を指揮する新宿区保健所長で医師でもある高橋郁美を通じて、吉住の元に上がってくる報告は、日増しに切迫感を増していた。

その理由はこうだ。新型コロナウイルスの明確な特徴は20代、30代の大多数が無症状もしくは軽症であることだ。新規感染者として報告が上がってくるホスト風の若者たちも例外ではなく、本人たちの症状は軽い。だが、この事実をもって、彼らにリスクがないことを意味しない。この時点で厚生労働省クラスター対策班が明らかにしてきたのは、約8割は誰にも感染させておらず、十数パーセントの人も一人に感染させて終わっているということだった。ところが、厄介なのはここからだ。このウイルスは残った数パーセントの人たちが5人、10人と大多数に感染させてクラスターの引き金となる。しかも、感染させるリスクは重症度とは関係がない。無症状、軽症者を起点にクラスターが発生するリスクがあり、誰が多く感染させてしまうのかは事前には誰にも分からない。

高橋が常に懸念しているのは、ホストの若者が起点となるクラスターが、別のクラスターを連鎖的に生み出すことだった。例えばホストたちから感染した客の家族内で感染が広がり、そこからさらに別の集団に感染者が出始め、やがて経路が分からない孤発例が増えていく。市中感染が広がれば、ハイリスクな高齢者が多数いる介護施設や病院内にウイルスが持ち込まれる。そうなる前に経路を追える段階から突き止め、接触者に検査を受けてもらい、自宅やホテルで過ごしてもらう。必要なのは、接触者の情報だった。

そうすれば、と彼女は言った。

「リスクは大きく引き下げることができます。もし、失敗すれば3月末のように特定の集団から広がっていくでしょう。彼らの情報は非常に貴重です。今、新宿は大事な局面を迎えている」

日本が世界に誇ると注目されたクラスター対策だが、実際に支えているのは人間と人間の関係性を築き、情報を得るという現場での地道な作業にほかならない。信頼があればデータは集まり、その逆ならリンクは早々に途切れる。現実は、データ以上に感染再拡大の危機が新宿区でも目前に迫っていることを教えていた。

新宿区役所の応接室に吉住、高橋、保健師、感染症対策の担当者、そしてすぐさま呼び掛けに応じた手塚が集まったのは翌2日である。手塚は吉住の初当選以前から面識があったが、さほど親しく付き合ってきたわけではない。だが「知った顔」であること、が今回は幸いした。開口一番、吉住から手塚に「教えてほしい」内容をこう伝えた。

「どうもホストらしい人たちが感染している。店の名前も言ってくれないし、連絡が取れなくなってしまうときがある。何が嫌で答えたくなくなるんだろうか。分かるようなら教えてほしい」

手塚はこの発言に意表を突かれた。受け取ったメッセンジャーの文面から察するに、「また自粛、店を閉じてほしいと相談をされるのではないか」と警戒心を持ちながら、区役所に入ったからだ。ところが、その場で吉住と高橋らが強調したのは「自分たちはホストクラブが日頃から検査や衛生面で協力的なのを知っている。報道されるような悪いイメージは全く持っていない。とにかく大事なのは感染拡大防止であり、区民の健康を守ること。そのために協力してほしい」ということだった。敵対ではなく歩み寄りである。行政側からすれば、ホスト界の顔として社会的にも業界にも影響力を持つ手塚を通じて、パイプをつくりたいという思惑は確かにあった。その狙いはホストクラブが反発必至の「自粛要請」ではなく、検査協力の呼び掛けであり、「このままだと行き詰まってしまう」という強い危機意識の表れでもあった。

加えて高橋が会談で強調したのは、保健所の狙いを的確に説明することだった。保健所は感染者のプライバシーは絶対に守り、店に営業禁止を命じる権限もない。接触者調査で必要なのは、患者の勤務状況、最終出勤日、行動履歴、フロアの状況や座席配置などであり、これはどこの企業にも求めているものだ。会話の中で吉住は強い口調で言った。

「私たちは犯人捜しがしたいわけではない」

一般に感染症には3段階あると言われている。第一段階は感染症そのものの広がり。第二段階は「心理的感染症」と呼ばれるもので、感染に対する不安や恐怖心が広がること。そして、第三段階が「社会的感染症」と呼ばれるものだ。感染への不安や恐怖がベースとなり、特定の人たちに対する差別、偏見を生み、嫌悪をぶつけるべき対象が社会の中に誕生する。言うなれば、感情の感染症だ。新宿区はウイルスによる感染症と感情の感染症に、同時に立ち向かう必要があった。手塚は行政の要請に応えることを決めた。

彼も彼で、歌舞伎町の現状に対して、思うことがあった。第一に一度、コロナの感染拡大の波が止まったのに、歌舞伎町からまた火が付いた。あそこが感染源になっていると言われるのは単純に「嫌だな」ということ。第二に、メディアや東京都知事の小池百合子が連呼する「夜の街」という言葉によって生まれる悪い「風評」を何とかして防ぎたいという思いがあったことだ。

4月から5月の営業自粛期間を通じて、他店の経営者と初めてと言っていいくらい踏み込んだ意見交換をしていたので、彼らの考えも分かっていた。歌舞伎町に約240軒あるホストクラブはただの「店」ではない。多くはホストクラブを中核にバーや飲食店を経営し、一大企業グループになっている。彼らは広く社会に存在している多くの経営者と同じである。手塚が発信しているような、あるいは考えてきたホストクラブの文化的、社会的な意味や歌舞伎町のこれからといった視点よりも、大多数の経営者は「今、この時」を大事にする。

手塚の回想――「歌舞伎町は2月の時点では危機感ゼロ、3月でこれは少しやばいという空気が出てきて、4月は多くの店が休みました。5月中旬以降に少しずつお店を開けるようになり、6月1日には全面的に開けるようになった。でも、お客さんが戻っているかというと、完全には戻らない。うちは対策をして再開したけど、中には対策が行き届かないまま始めたところもある。業界全体で足並みがそろっていない。それは世の中と同じです。危機感が強い人もいれば、弱い人もいる。その中で対策を施さないといけない」

その中で彼にできることはといえば、自身が行政とホストクラブ側のハブとなり、両者をつなぐことでしかない。手塚はこんな提案をした。

「自分たちも感染したくないし、感染もさせたくない。風評被害を防ぐためなら協力してくれるでしょう。今後の検査や調査に協力してもらうためにも、直接会ってプライバシーは守る、と話してください。僕から話すよりも、区長や所長から話してもらったほうがいいと思います。すぐにやりましょう。夕方1時間でもいいです。枠をください」

区側はこの提案に乗り、3日、4日と吉住らの日程を確保した。手塚は手応えを感じていたが、すぐに連絡を取った有力店舗の経営者たちの反応は鈍いものだった。

「もう営業してるでしょ。やぶ蛇だよ。保健所と協力したらさらに名指しされるよ」

「都知事もメディアも行政も俺らの敵でしょ。区長もそっち側だろ」

「協力したら名前が公表されるだけ。行政は信頼できない」

根深い不信感が残っていた。深夜まで呼びかけたが、思ったよりもうまくいかなかった。3日に集まったのは手塚と、彼の「言うことを聞いてくれる後輩」2グループを含めた3グループ約20人の経営陣だった。

「区長、すいません。これしか集められなくて……」

「いいんです。私は手塚さん一人でも待ちましたよ」

「後輩」たちは吉住らの前で自分たちの対策のガイドラインを堂々と説明した。さらに、体調不良者が出た場合、どの段階でＰＣＲ検査を受けに行ったらいいのか、陽性者が出た場合、具体的にどのようなルールを設けて店の閉店や開店を判断したらいいのか区側と意見を交わした。

区や保健所側も意見に耳を傾け「それならば検査のホットラインをつくろう」と提案した。経営者たちが強く警戒していたクラスターが発生した店舗名公表についても、区側にその発想はないと明言した。

小池が新宿駅前の大型ビジョンでも連呼した「夜の街」という言葉はメディアを通じて広がり、日増しに「昼の街」との分断を強めた。区役所には「夜の街を閉めろ」「感染者が出た店名を公表しろ」との声が連日届く。新宿区は、新型コロナに感染した区民に10万円の見舞金を給付することを決めている。金が欲しいホストたちはこのお金を目当てに感染させ合っているのだ、という根拠なき臆測もネット上に流れた。この社会に生きる多くの人にとって「夜の街」は遠い存在であり、だからこそ安心して石を投げ付けられる存在になる。

吉住も高橋もそうした風潮に迎合しない。彼らは一貫して「店名公表は感染拡大防止にとって逆効果になる」という考えを取ってきた。店名を公表すれば、社会に広く蔓延している処罰感情を満たせるだろう。だが、それによって店名が公表されるリスクを取るくらいなら検査には協力しない、という考えを強めてしまう。より強硬に全国一斉に店を閉めさせるという策は現実的ではなく、仮に実現しても膨大な補償と失業者が発生する。区側は社会的に処罰して把握できない感染が広がるより、より感染を防げる実務的なやり方を選んだ。

意見交換の場を見て手塚は思う。

「経営者はビジネスを第一に考える。感染者は出ないほうがいいに決まっている。行政への不信感を拭うことができれば、一致点は見出せる。官民一体で取り組んだほうが街全体の感染症対策はうまくいく」

後輩の2社はその日の様子や行政側の対応をすぐに文書にまとめ、LINEを介して大手グループの経営陣に連絡した。事態が動きだしたのはそこからだ。会談に応じようという経営者は増え、区側は4日も同じ説明を行った。4日に集まったのは手塚も「ほとんど接点がない」約30人である。業界最大手の関係者もいた。ここで空気は確実に変わった。

高橋の述懐――。「グループごとの検査も可能になりました。濃厚接触者を早く割り出すことで、感染経路をつかむことができればいい。今の時点（7月上旬）で、感染者数が大きく増えているのは、関係者が積極的に検査をすることで割り出せている部分も大きい」

ホスト業界との直接対話に乗り出した吉住は彼らから一定の信頼を、ホスト業界はホットラインを手に入れ、会合は新宿社交料理飲食業連合会や、キャバクラにネットワークを持つ日本水商売協会など他業種も巻き込み、やがて6月18日に「新宿区繁華街新型コロナ対策連絡会」へと発展することになった。

保健所にとって、何より大きかったのは、なぜホストたちの間で感染が広がるのかという謎を突き止めたことにある。彼らもそうだったが、多くの人はホストたち特有の営業形態、例えばシャンパンタワーを作って大声でコールする、あるいは客やホスト同士で肩を組み、回し飲みで乾杯を繰り返す……といったことが原因で起きると想定していた。

「実は想定していなかったもう一つの感染経路があったんです」と吉住はゆっくりとした口調で語った。

それは寮だ。ホスト業界でそれなりの家に住んでいるのは一部のカリスマや人気ホストだけであり、地方から出てきたばかりの若いホストや、まだ売れないホストはマンションなどで共同生活をする。あるホストクラブの寮は3LDKのマンションで、一部屋に2人が住み、多くのスペースは共有だ。ホストという仕事は、社会からはじかれた人々の受け皿という側面もある。こうした家に住む若者たちにいくら「自宅待機」と言っても、通用しない。

店や外ではマスクを着用していても、家の中ではマスクも外す。彼らは共に生活し、職場に向かい、また同じ家へと帰る。職場と居住空間が同じであり、生活形態はシェアハウスであり、その感染経路はむしろハイリスクとされる家庭内感染のそれに近い。

ホスト「だから」感染が広がるのではなく、彼らの生活スタイルの中にリスクがある。手塚は、その危険性にかなり早い段階から気付いていた。「自宅待機」をいくら呼び掛け、教育しても、およそ快適とはいえない寮に24時間いられないホストは外に出ていく。手塚は4月末、

「Ｆｏｒｂｅｓ ＪＡＰＡＮ」のコラムでこんなことを書いている。

《そして何より問題だったのが、ちょっと具合が悪くなったら一般病院に行ってしまい、「追い返された」と不安になり、保健所に電話しまくって繋がらず、更に不安になって直接保健所まで行ってしまったり……

事前に動画で、医療崩壊についてももちろん説明していた。少しでも具合が悪くなったら、行政のガイドラインに従った指示を、冷静に第三者が出来るようにチームを組んで対応を考えるという施策も組んだ。

しかし、微熱が出た従業員たちは、頭ではなく感情で動いてしまった。

理想論は通用しなかった》

彼のアプローチはどの程度までリスクを受容できるのか、より現実的な落としどころを探るというものだった。ホスト同士の濃厚接触はゼロにはならないからこそ、衛生管理の担当者を決めて定期的に寮の見回りを始めた。求めたのは、清潔にすることであり、感染対策が徹底できていないバーに行かないこと。細かいところから体調管理も徹底し、それを自らにも課した。

7月上旬、新宿・歌舞伎町2丁目、「Ｓｍａｐｐａ！ Ｇｒｏｕｐ」が経営するホストクラブ「ＡＰ.ｉＴＳ」のＶＩＰルーム――。入り口にはランキング形式で額縁に入ったホストの写真が並んでいる。ナンバーワンの風早涼太は月間「指名130本」を数える売れっ子だ。

彼らは店の「看板商品」である。裏方である店長の蓮は、看板を傷つけないよう常に気を配る。18歳でこの世界に足を踏み入れ、32歳になった今は店長として店とホストを守る立場にある。アイスティーが注がれたコップを手に、白いマスクの下からストローを通す。口の中を湿らせる程度に一口飲み、一息いれると、ぽつりとこんなことを言った。

「何が怖いって、自分が感染することよりも、自分たちがお客様に広げてしまうこと。それが一番怖いですね。店の信頼に関わりますから」

彼が経営するホストクラブでは自粛期間はちょうど店の改装と重なっていた。いかにもホストクラブらしい白と黒を基調としたタイルにキラキラと照明が反射する店内、きらびやかなシャンデリアの裏で、彼は予算を増額し、より強力な換気システムを取り入れることを決めた。彼の上司に当たるジェネラルマネージャーのＭＵＳＡＳＨＩが言う。「ホストクラブやホストはきらきらしていて派手だけど、裏方は地味なんです」

彼らは入り口には靴の裏を消毒するためのマットを置き、ホストもスタッフも全員がマスクを着用していた。入り口、そしてテーブルごとに消毒用のアルコールを置き、ホストたちは事あるごとに消毒し、なるべく距離を取りながら、しかし客が満足する程度の対人距離を保つ。マスクを取ってくれ、と過度に要求された場合はスタッフを呼ぶようにとホストたちに呼びかけた。

彼らが課していた絶対の方針は、客に本名と連絡先の記入を求めることだ。源氏名で人々が生きている街で、客のプライバシーに踏み込むことは経営面だけ考えればリスクが高い。不快に思い、他の店に流れる客も出てくるだろう。だが、手塚のグループは万が一、感染者が出た場合、速やかに連絡を取るために、客の情報管理を優先した。

開店前の店で、スタッフに「大切なお客様へ」と題されたA5サイズのチェックシートを見せてもらった。「もし拒まれたらどうするんですか？」と私が聞くと、スタッフは「その時はお引き取りいただくだけです。常連の方は皆さん協力してくれますし、むしろ、ここまでやるんですかと驚かれますよ」と淡々と言った。


華やかな世界は、裏側のこまやかな実務で回っている。これも些細《ささい》な事だが、印象に残ったシーンがある。6月末、私は手塚や他のホストクラブ関係者、ホストやキャバクラ嬢向けのポータルサイトを運営する会社の経営陣と一緒に、歌舞伎町エリアの一角に位置する新宿区役所に行った。

そこで手塚は当たり前のように、率先してエレベーターホールに私たちを案内し、肘《ひじ》でボタンを押した。エレベーターの中に入ってからもそれは変わらず、目的階も肘で、そして階についてから自ら扉を開けたままにするボタンも肘で押し、私たちを外へ出るよう促した。リスクを低減させるため、不特定多数の人間が触るエレベーターのボタンさえも意識的に指で押さないようにし、それを普段から習慣として徹底していた。

実践は言葉以上に雄弁に手塚という人間を教えてくれる。

手塚とのイベントで、私は「冬場の第三波で、歌舞伎町はすっかりニュースに出なくなった。この理由はメディアが慣れてしまったからか、それとも感染者が少なくなっているからなのか」と聞いた。落ち着いたグレーのスーツ姿の彼は相変わらず実直に、真正面から質問に答えた。

「それは少なくなっているからでしょうね。保健所の方と話していても、クラスターが疑われる事案が無いことはない。でも、夏みたいな流行はしていないことは僕にもわかります。6月、7月はかなりの数の感染者が出ていました。あの時期はあいつも感染したという話はよく聞きましたからね。それは対策や予防をしていないということではないです。そもそも、この街にウイルスが入り込んでいたからだと思いますよ」

1997年から30年以上この街にいる手塚は、歌舞伎町はヘビーユーザーの街だという。内部に経済圏が成立しており、小さなバーでもホストクラブでも常連が大半を占め、その常連もまた歌舞伎町の「住人」たちであり、外部との接点がほとんどないという客は少なくない。ホストたちの間で流行したことで、新たな感染ルートが見つかったという収穫もあった。それでも、注目は別のところにばかり集まった。

数多くの取材を受けてきた手塚だったが、そこで取材するメディアが歌舞伎町に向けてくる視線も痛感していた。ホストクラブとは「不道徳でいちゃいちゃして、マスクもしないで回し飲みして乱痴気《らんちき》騒ぎしている場所」「クラスターの発生源が寮だとするならば、寮は劣悪な環境で、一部屋で何人も寝ている……」というイメージは確実に存在していた。丁寧に説明しても、意図とは違うコメントでまとめられることもあった。


メディアは歌舞伎町内の「分断」を煽《あお》っていた。どんな社会も完璧ではないように、歌舞伎町にも責められるポイントはある。例えば、緊急事態宣言下の4月から5月にかけて営業していたグループは、コミュニティーの一部では賞賛の対象になっていた。「夜の街」と名指しされることで、内部は「自分たちは真面目に自粛に応じてきた。営業を続けている店こそが『夜の街』だ」というグループと、「行政は自分たちの敵で何もしてくれない。稼ぐために営業を続けて何が悪い」というグループに分かれた。名指しされた側がきれいに一致団結することはない。そこを政治にもメディアにも利用された。

歌舞伎町などを主要ターゲットに、8月には警察や東京都による風営法に基づく立ち入り検査があった。風営法は立ち入り検査の根拠にならないのではないか、と異論が噴出したにもかかわらず菅義偉（当時は官房長官）がお墨付きを与え、社会もそれを許容する事案だった。

手塚も当然ながら検査を疑問視していたため、コメントを求める取材もやってきたが、「どうせ違法なこと、よからぬことをやっている店で、バレると困るから反対しているのでは」という暗黙の前提が質問する側にあるように思えたという。

「歌舞伎町は感染した人を責めない街だというのも大きいですね。感染したとしても、『じゃあ休んでおいて』で終わりです。お互い様文化ですね」

その言葉を聞いた私は歌舞伎町が感染者を責めない街ならば、この社会はあらゆるものを責める社会ではないかと思った。一色でないものを一色にまとめようとし、複雑な現実よりも単純なイメージに合致するものを求める。

《「歌舞伎町は目指す街ではなく、漂流した末に辿り着く街だ。昨日までの自分と決別して、ただ一人の人間として再出発できる街だ。どれだけ大きな失敗や挫折があったとしても、この街では関係ない」》と手塚は記す。この街に生きる人々は「共生はしないが共存はする」のだ。

敵を見つけ、名指しし、排除も差別も肯定する社会を目指すのか。専門知と現場で積み上がった知を組み合わせて、共通の目標としてリスクの低減に向けて動きだすのか。前者は多くの人々の「けしからん」という感情を満たすかもしれない。だが、それだけだ。少なくとも、新宿・歌舞伎町という街を守るため、新型コロナウイルス対策に邁進《まいしん》した行政、名指しされながらも日々経営を続ける人々は後者を選び、歩きだしている。

イベントを終えて、手塚のグループが経営するバーに向かった。寒い夜だったが「こっちのほうが安全だから」と外で飲むグループがいた。人通りはさほど多くはなかったが、それでもこの街に生きる人はいる。感染症が社会の現実を照らし出したまま、２０２０年はもうすぐ終わろうとしていた。

再出発

「本当に俺、生放送は苦手やねん。テレビでも苦手だったのにうまくできひんわ。言葉が出てこなかったら、どんどん次に、次に進行させてな。あかんわと思ったら当てなくていいから」

初対面の高知東生《たかちのぼる》は、挨拶がわりにおよそ芸能人らしからぬことを言って、私たちを笑わせた。より正確に記せば、私は勝手に場を和ませる冗談だと受け取って笑っていた。今にして思えば、不器用ながら彼なりに必死に伝えようとした本音だった。

２０２０年2月の初対面は、私にとっても忘れられない出会いになった。ハフポスト日本版が主催し、薬物依存症をテーマにしたイベントを開くことになった。薬物問題の取材経験もあるからという理由で私が司会進行役を務めることになり、高知がゲストとしてやってきた。当初、観客を入れて開かれるはずだったイベントは、新型コロナウイルスの影響で急遽《きゅうきょ》、無観客でインターネット配信のみに切り替わった。

小さなスタジオでカメラテストをしているときのことだ。彼は初めてカメラの前に立った若手俳優のように、何度も緊張していると語った。

「いやいや、高知さん。何を言っているんですか。テレビカメラの前で演技するより気楽なものでしょう。きょうはみんな高知さんの言葉を聞きたいんですよ」

「そんなことないって。テレビは台本あるやん。今は、何も無いし、もう何を話したらいいのかわからんもん」

「大丈夫ですよ。質問に詰まっても、僕のほうで絶対に引き取りますから」

「ほんとうに頼みますよ」

高島礼子の夫（後に離婚）として、「格差婚」で芸能界をにぎわせていた高知は2016年6月24日、覚醒剤と大麻所持の現行犯で愛人とともに逮捕された。判決は「懲役2年執行猶予4年」である。そこから、依存問題の第一人者とともに「薬物依存症」という病気の治療に取り組み始めた。

よくよく考えてみれば、高知には逮捕時にテレビを中心に過剰なまでのバッシングにあい、週刊誌やスポーツ新聞で、その罪をおもしろおかしく書き立てられた過去がある。その後、孤独な時間を長く過ごすことになった彼にとって、カメラの前で自分の過去と現在を語るのは決して気持ちの良い時間ではないのかもしれない。そう思い直した私は「うまく話さなくてもいいです。まとまっていなくてもいいです。こっちでちゃんと拾いますから、思ったことを語ってください」と伝えた。そこでやっとほっとした表情を見せた。

もっとも、カメラが回るとさすがは芸能界で生きてきただけあり、高島に語った嘘の辻褄《つじつま》を合わせるために作っていた「アリバイノート」の存在や、依存症患者同士の自助グループの大切さについて緩急をつけて軽妙に語り、30万人を超えた視聴者を大いに満足させていた。ユーモラスに「あの時」を振り返る彼の姿を見て、私とスタッフは「えっ何も話せないはずでは。高知東生にとって緊張とは……」と呆気《あっけ》にとられたのだった。

「ちょっと前まで死のうと思っていたのに、自分でもびっくりしている。今が、人生の中で一番充実している。俺、酒をやめたのよ。さみしいから酒を飲む、一人で飲むのが嫌だから、繁華街に行く。俺の場合はそこで女性と飲みたくなる。それでお店に入って、朝まで……が悪循環のワンセット。それに気がついたから、今は会いたい人と昼に会って、昼に仲間と活動している」

久しぶりに会った高知の表情は明るかった。

彼にとって、2020年は転機の一年として記録される。自叙伝『生き直す 私は一人ではない』（青志社）を9月に刊行し、これが大きな話題を呼んだ。地元・高知県では誰もが知っていた任侠《にんきょう》の男の子供として生まれ、抗争の中、目の前で母親が刀で切られる姿を目撃した。高知が17歳の時に母が自殺し、何かをつかむために上京する。高知にとって、東京は成り上がるための都市だった。ひょんなことからモデルの真似《まね》事をやるようになり、友人の誘いからAV業界に飛び込み、そして芸能界へ――。事件の前まで隠してきた、できすぎたシナリオよりもドラマが詰まった過去の多くをさらけ出した。

ツイッターでもフォロワーが急増し、インフルエンサーになっていた。夏には意外なオファーが届く。光文社のエンタメ小説誌「小説宝石」に、小説を書いてほしいというものだった。「小説なんて無理。俺が読んだことあるのは映画の台本だけ」と例によって尻込みする高知だったが、編集者は引き下がらない。周囲の後押しもあり、書き始めてみると意外なほどのめり込むことができた。

自叙伝に関する取材、オンラインも含めた自助グループの啓発活動、そして小説執筆に割くことにした時間、そして今、もっとも注目されている映画監督・白石和彌《かずや》がプロデューサーに名を連ねた啓発ドラマの主演と仕事が続いた。彼の人生から「暇」が無くなり、そのかわり社会の中に居場所ができた。実は、これが最も効果的な依存症治療になっている。

高知の活動をサポートする田中紀子（公益社団法人「ギャンブル依存症問題を考える会」代表）の証言――。「依存症患者にとって、一番の敵は暇です。新型コロナ対策で『ステイホーム』が呼びかけられました。家で過ごす時間が多くなり、3密を避けるために対面でのグループ活動も難しくなりました。その上、経済状況は悪化し、当人たちの仕事にも影響が出てきます。そうなると治療中の依存症患者はどうなるか。家で際限なくアルコールを飲んでしまったり、ギャンブルのことを考えたりする時間ができてしまう。再び依存した何かにのめり込んでしまうリスクが高まります。私たちにとっては危機です」

高知にとっても危機は「自分事」だったが、幸運が重なった。1回目の緊急事態宣言が出された4〜5月は、田中とともに「12ステップ」と呼ばれる依存症回復プログラムに取り組んでいた。このプログラムはアメリカのアルコール依存症の当事者団体が作ったもので、世界的に広まっている。田中は高知を自助グループに誘ったときから、プログラムを受けるように勧めていた。

よくある誤解だが、薬物依存症は薬物をやめただけでは回復しない病気だ。専門家に取材すると、薬物にはまる人々は、総じて真面目で、仕事に打ち込む魅力的な人物が多いと口を揃える。初めて聞くと多くの人は「そんなことはないだろう」と思う。私もそうだった。クスリにはまる人が真面目なわけがないという思い込みがあるからだ。薬物に手を出す理由を考えてみよう。彼らは周囲からの「承認」がなければ、自分を保つことができず、常に周囲の目を気にしている。良く言えば期待に応えているが、別の見方をすれば、自分に自信が持てず、何かで取り繕おうとしている人たちだ。

自分の弱さを認められないために、薬物に手を出し、やがて依存する。仮に一旦、薬物をやめたとしても、根本にある心の問題を自覚しなければ、他人と自分を比べ続け、嫉妬心から薬物に手を出すといった再発リスクを常に抱える。医療は薬物をやめる手助けまではできても、心の回復に付き添うことはできない。そこを担うのは、やはり自助グループということになる。

自身もギャンブル依存症患者だった田中が高知に求めたのは、なぜ薬物にのめり込んだのかを踏み込んで考える時間を取ることだった。他人の目ばかりを気にしていた芸能人「高知東生」を演じるのではなく、ありのままの自分を受け入れることを目標に設定した。始まったプログラムは想像を超えるきつさだったと高知は言う。誰しも、自分を変えることは簡単にはできない。特に彼が苦しんだのは、ステップ4の「自分自身の棚卸し」だった。

生まれてから今までの自分の過去と向き合い、過去の行いを書き出し、誰に、何をして、どう傷つけてきたのかを振り返ることになった。この間、高知は田中と3回、絶交しかかっている。壮絶な過去を掘り返し、自分自身と対峙《たいじ》することになった高知は、その辛さから精神的なバランスを崩しかかっていた。「自分は多くの人を傷つけてきた最低の人間」「もう放っておいてほしい」と強く思い、田中と話すことすら嫌になり、連絡を断った。

そんな彼を心配して、深夜に山梨から自宅まで駆けつけてくれた自助グループの仲間がいた。高知は朝までいかに自分が辛いか、愚痴をこぼした。仲間はそれを黙って聞いてくれた。彼は自分で自分の辛さを言葉にすることで、弱い部分を見つけ、再び田中とともに過去の棚卸しに取り組むことになった。

そこで見えてきたのは彼の言葉で言えば、「妄想」を気にしてしまう自分自身の姿だった。なんでも完璧にこなせる自分を妄想してしまい、失敗しそうなこと、うまくいきそうもないことのチャレンジを恐れる。冒頭の言葉もその一つだ。イベントでうまくいかないかもしれない、もしかしたら過去の犯罪を問い詰められるかもしれないという考えが先に立ちすぎて、尻込みする。彼の心は、自分が思う以上にずっと繊細だった。

だから、仕事の窓口になっている田中に最初にこぼす言葉はネガティヴなものになっていた。「無理」「嫌だ」「できない」——。本当はチャレンジしたいと思っている自分がいるにもかかわらず、自分を守るために本心とは違う言葉が出てきてしまう。原因は自尊心の無さ、出てくる言葉はそれの裏返しであると気づいた彼は少しずつ変化を受け入れ、自叙伝へと結実させた。

12ステップには「棚卸し」のあと、傷つけた人々に謝罪をする「埋め合わせ」というステップが用意されている。ギャンブル依存症患者なら、誰も気づいていなかった横領を告白し、関係者に謝罪して回ることもあるという。これもまた次に進むための試練だ。高知はこのとき、「埋め合わせ」の途上にいた。そこで突きつけられた現実も、過去に世話になった人に罪を責められるかもしれないという恐れもまた「妄想」にすぎないということだった。会う人々は、彼の行いを赦し、ありのままの彼を受け入れてくれた。

薬物依存症関係者の間で「花の2016年組」と呼ばれる人たちがいる。同じ年に、同じような容疑で逮捕された有名人だ。彼らは同じ自助グループとして、助け合う仲間になった。その一人に、高知と同じ年に逮捕された元プロ野球選手の清原和博がいる。「清原くんが、自分でユーチューブやっているでしょ。あれを見ると、本当に嬉しくなるね」と高知は自分のことのように嬉しいと言った。彼は他人と自分を比較せず、自分は自分であると受け入れていた。

「小説ってさ……」と高知は口を開く。

「俺、役者やっていたせいかシーンが映像で浮かぶの。書こうと思っても書けない時間があって、いきなりばーっと進む時間もあるんだよね」

「高知さん、何かを書くときって多くの人はそうですよ」

「そうなの？　よかったぁ。俺だけじゃないんだ。安心したわぁ」

彼は笑い、大きくうなずいていた。

ところで前を向いて一歩を踏み出した人間には、粋な偶然が用意されていた。「小説宝石」が多くの書店の店頭に並んだ２０２０年12月22日は、高知にとって56回目の誕生日だった。もしかしたら、迎えることができなかったかもしれない一日である。偶然はこんな意味を持っているのかもしれない、と私は思った。後から振り返れば、この日こそ高知が本当の意味で人生を再出発した日になった、と。２０２１年１月、彼は第二作目の小説を書き上げ、原稿を編集者に渡したという。

ゴー・ビヨンド〈超えてゆく〉

「『人間讃歌』とはつまり、『人間は素晴らしい』という前向きな肯定です。何かの困難に遭ったとき、それを解決し、道を切り拓いていくのは人間の自らの力によるのであって、そこで急に神様が来て助けてくれたり、魔法の剣が突然落ちてきて、拾って戦ったら勝ってしまった、というような都合のいい偶然は、『ジョジョ』ではけっして起こりません」（荒木飛呂彦《あらきひろひこ》『荒木飛呂彦の漫画術』集英社新書）

ここに夢を叶《かな》えた一人の青年がいる。東京・京王線府中駅の駅前に一風変わった名前のイタリア料理店がオープンしたのは、2020年6月13日のことだった。長年、地元に愛された美容院だったテナントに入った新しい店の名は「イタリア料理を食べに行こう」という。一人の若者が夢を叶えた店の名前を聞いて、なるほどと納得する人と、そうではない人に分かれるはずだ。

漫画家・荒木飛呂彦が30年以上連載を続けている『ジョジョの奇妙な冒険』という漫画がある。私もそうだが、前者はこの作品のファンであることは間違いない。店名は、ジョジョのあるエピソードにつけられたサブタイトルを引用したものだからだ。私が店の存在を知ったのは、年末になんとなく眺めていたツイッターだった。

《荒木飛呂彦先生があるイタリア料理店食事に来たときにたまたま働いていた若いファンがいて彼に夢を聞いたのだ。（中略）その彼が出したお店が》というところで文章が途切れ、店の外観がアップされていた。これがツイッター上で大きな話題になり、私が見た時点で2万6000リツイートを記録していた。

「僕の中では人生で一番、話題になったツイートです。おかげさまで、ジョジョファンの方に足を運んでもらえるお店になりました」

ツイートした店主の佐藤誠矢《さとうせいや》はそう語った。府中市出身の31歳と律儀に自己紹介をしてくれた。美容院は彼の父親が経営していた店で、2019年に転機が迫っていた。父親が店をたたむことを決意した。人手不足が続いており、年齢も重ねた。父はもう潮時と判断したのだ。専門学校を卒業後、飲食の世界に飛び込み、銀座を拠点とする有名イタリアンなどで修業を重ねた佐藤は勢いだけで決意を固めてしまった。今が自分の夢を叶える時だ、と。

佐藤が初めて夢を打ち明けた相手が荒木だった。彼は自分の性格を「鈍臭《どんくさ》い」と評する。極めて的確な自己評価だ。調理場では失敗続きで、シェフを目指す修業は見切りをつけざるを得なかった。およそプロとしての技量が足りないことは、人に指摘されるまでもなく自身が誰よりも早く気づいていた。給仕と好きなワインに活路を見出し、接客のプロを目指すことにした。忘れもしない2014年、働いていた店にプライベートで荒木が食事にやって来た。先輩のウエイターが担当につき、彼になにげなく言った。

「さっき来たお客さん、漫画家なんだって」

「へえ、有名な方ですかね」

何度かテーブルを往復した先輩は、ありのままに店内で起こっていた事を彼に伝えた。

「ジョジョって知ってる？　その漫画家さんだって」

「本当ですか。大ファンです。ということは荒木先生ですよね」

彼は興奮し、先輩に懇願した。

「お願いします。次に料理を運ぶ時、ついていかせてください」

荒木のイタリア料理好きはファンなら誰もが知っている。漫画でよく見ていた、年齢にまったく見合わない若々しい顔の「本物」がそこにいた。この機会を逃したら絶対に後悔すると確信した彼は、店の上司たちに事情を説明し許諾を求めた。店の暗黙のルールで有名人が来ても、サインをお願いすることはＮＧとなっていたが、彼はここだけは粘った。絶対に店の迷惑にはならないようにすること、そして断られたらその時点で諦めると約束し、食事を終えた荒木に恐る恐るお願いした。

「サインをいただけないでしょうか」緊張のあまり答えを待つまでの一瞬、時が止まったように思えた。

そして時は動き出す。荒木はサインを快諾し、人気キャラクター岸辺露伴を描いた。さらに、荒木自らジョジョでお馴染みのポーズをしながら一緒に写真を撮ろうという提案までしてくれた。写真を撮る合間、荒木は彼にさりげなく将来の夢を聞いた。彼の人生の歯車はここで回転を始めた。

怒られ続けた先輩たちに将来を聞かれても「いやぁ、俺は飲食業界で細々と生きていきます」と照れ隠しで答えていた。お前には無理だ、と言われるのが怖かったからだ。荒木の目はまっすぐ彼を見つめている。憧れの人を前に嘘はつけないと思った。初めて自分の言葉で夢を語った。

「あの……。自分の店を持つことです」

笑うことも、馬鹿にすることもせずに荒木は言った。

「この道では辛いこともあると思いますが、夢を叶えるまで、諦めなくていいですよ。頑張ってください」

そのたった一言が、「鈍臭い」彼の支えになった。有名店を辞めて、別の店に移ったことがあった。まったく馴染めずに、すぐに辞めてしまい、また拾われるように元いた店に戻った。向いていないと思うことのほうが多かったが、結局10年近く勤め上げた。そこに飛び込んできたのが、父の閉店の決意だった。これがいよいよ独立を考え、物件候補をいくつかピックアップしていた時期と重なってしまった。飲食業界のサイクルは早い。長続きする店よりも、短期で閉まる店が圧倒的に多い。だからこそ、立地は慎重に選びたいと彼は考えていた。新型コロナウイルスが流行する以前、２０１９年にも都心にはいくつか有力物件が出ていたし、地元に戻るのは甘えているようで抵抗もあった。しかし、彼は一気に決断する。

「親父の背中を見てきたんですよね。ずっと地元の人相手の商売をやっていて、僕もこの場所には思い入れもあった。店を閉めただけなら、『あの美容院潰れたんだ』と思われるだけかもしれない。でも、息子が新しい店を同じ場所で出したら、業種は違うけど『後を譲ったんだ』と思ってもらえるかなって」

テナントを貸し出している大家も、この提案に賛成してくれた。2019年11月に彼は勤務先に辞表を提出し、正式な退店の日取りを2020年2月末と決めて、夢に向かって動き出した。店名も決めていた。横文字で気取って誰も読めない店名よりも、何をやっている店か一目でわかって、覚えやすい名前に……。

美容院からレストランへの改装工事を進める一方で、同じイタリア料理店で修業していた料理人に声をかけて、シェフとして迎え入れることも決めた。新装開店に向けて準備が整いつつあった中で、新型コロナ禍が直撃した。

ジョジョの重要なテーマは「人間賛歌」だ。登場人物は主人公でも、脇役、悪役であっても「血統」や「運命」という自分の力ではどうすることもできない現実に直面しながら、それに抗《あらが》い、自らの力で道を切り開こうとする。荒木は以前、私のインタビュー（ヤフーニュース特集2018年8月17日配信「『これ以上、王道の漫画はない』――荒木飛呂彦が『ジョジョ』を描き続ける理由」）で、こう語っている。

「主人公たちを過酷な状況に追い込み、成長しながら道を切り開かせる。闘うときに、偶然や誰かに頼っているようでは『ジョジョ』は成立しません。一人で立ち向かわなければいけないのです」「前向きな志同士がぶつかり合うことで、化学変化やサスペンスが生まれると思って描いています。登場人物のベクトルは常にプラスに向かっていないといけない。大原則は成長すること。闘うことに悩まないこと。そして、闘うときは孤独であることです」

佐藤もまた前向きな志を持ち、孤独に向き合っていた一人と言えるだろう。オープンに向けて描いていた青写真はすべて無になった。退店した2020年の2月末からちょうど新型コロナの流行が始まった。工事の合間を縫って、旧知の先輩や自分が食べて美味しいと思った店に〝勉強〟に行く予定を組んでいた。ぜひ来てくれと返事があった店からも感染拡大とともに、「ちょっと今は……」と軒並み断りが入り、連絡を待っていた店に出かけたらひっそりと閉店していたこともあった。開店は夢でも、次の日からは現実がやってくることを学んだ中で、最初の緊急事態宣言がやってきた。

「今さらやめますとは言えない。これは『覚悟』を決めるしかないと思いました。ジョジョに出てくる言葉で言うとするならば、『覚悟とは暗闇の荒野に進むべき道を切り開く事だ』ってやつです」

彼は一つ決めていることがあった。それはメニューに妥協をしないということだ。例えば3000円で提供しているピクルスも、地元の農家が作っている野菜を使う。輸送代も含めればコストはかさむが、味はぐっと良くなるからだ。ランチで提供している中でもっとも高い3500円のコースも、前菜5品から始まり和牛のボロネーゼなどパスタ2品、質の高いブランド豚を使ったメインまで凝ったものを提供することにした。

「これってだいぶ無理しているんじゃない」と聞くと、「都心なら赤字ですよ」と彼はにやりとした。

でも、と続ける。言葉には誇りが感じられた。

「採算度外視ってわけではないですけど、良いものを出しているという自信はあります。ボロネーゼも僕たちは和牛の赤身肉を使います。わかりやすく美味しい味を目指すなら、もっと脂の多い部位がいいんですよ。でも、食べ続けていると脂が重たく感じてしまうんですよね。豚肉は塊肉を芯温65度で、オーブンでゆっくりと火を通しています。だってこれが一番美味しいから……」

取材に行った日も七組のテーブル、カウンター席も満席でランチが終わる午後2時まで佐藤と彼の妻、そして厨房《ちゅうぼう》、給仕のスタッフが動き続けていた。本来ならもっとテーブルを設置できるスペースがあるのだが、感染症対策を優先して、席と席の間隔は広く取っていた。二人組でも四人掛けのテーブルに案内し、感染リスクが高い向かい合わせで食べなくても大丈夫なようにした。

「今は『この店に行きたい』って思ってもらえる店になること。これが目標です。コロナ前って言われても僕はわかんないんですよ。一従業員だったから。二度目の緊急事態宣言で営業も8時閉店になって、夜は激減です。でも、こうやってランチを食べに来てくれる人はいます。その人たちが食べに来たいと思ってくれたらいい。そう思っています」

6月のオープンから客足は途切れることはなかった。最初の1週間、地元の友人や知り合いのご祝儀的な予約が終わり、通常営業になってからもお客はやって来た。これだけ飲食店に厳しい時代状況にあって、彼が設定していた採算目標は下回らず、店は〝回転〟している。その理由がわかるような気がした。メニューもさることながら、佐藤の受け継いだ精神に理由がある。彼の父親も地元を愛し、地元に根ざした店を経営していた。彼はテナントだけではなく精神も継いだ。受け継ぐ――これもジョジョのテーマだった。荒木もインタビューでこんなことを言っていた。

「人は死んで終わりではない。残された人に意志を残し、受け継がれていくというのが『ジョジョ』のもう一つのテーマなのです。敗北したとしても、誰かが意志を継いでいく。僕はそれを人間の美しさだと思っています」

店もまた無くなって終わりではないのだ。ところで、と佐藤に聞きたいことがあった。

「デザートのプリン、あれは狙ったでしょ。店名の話と同じメニューだもんね。デザートだけ」

「あっ、やっぱりわかりましたか？　他のメニューもあったんですけど、ジョジョが好きなら絶対に喜んでいただけるかなぁと」

夢を叶えた男は、そう言って小さく笑った。

2021年のSOMEDAY

佐野元春《さのもとはる》と初めて会ったのは、2018年の春だった。インタビューを終えたとき、親近感を覚えた記憶がある。熱狂に決してのまれることなく、どこかで一歩引いて、批評的に物事を捉えている姿勢を佐野から感じ取ったからだ。

初対面の印象は「この人は本物の大人だな」というものだった。佐野の事務所に入ると大きな犬とマネージャーが出迎えてくれた。佐野はインタビューが始まる前に短く「よろしく」とあいさつして、椅子に深々と腰掛けた。

自分より30歳も年下のライターがやってきたにもかかわらず、少しも偉ぶることがなく、いろいろな媒体で目にする自然体の「佐野元春」がそこにいた。こちらの表情をよく見ており、私が少しわからなそうな顔をすれば補足しながら言葉を重ね、しかし、説明的になりすぎることなく、ユーモアを交えながら真摯《しんし》に答えてくれた。「そろそろ時間が……」とレコード会社のスタッフから促され、最後の一問で「この記事を読んで、初めて『佐野元春』の音楽に触れるリスナーにメッセージはありますか？」と聞いた。いかにもインタビューの最後らしい凡庸な質問だが、佐野らしい答えが返ってきそうな予感はあった。

少し間を空けて、佐野は「優しいお兄さん」と「怖いお兄さん」、両方からのメッセージがあると言った。どっちがいい、とこちらに質問する佐野に「どっちも伺いたいです」と私は言った。

「オーケー。じゃあ、まずは優しいお兄さんから。ポップ音楽、ロック音楽の楽しさ、豊かさを感じてほしい。表現としての可能性は無限だよ。じゃあ怖いお兄さんでいくよ……。ポップ音楽、ロック音楽を見くびるんじゃねぇぞ」

取材を終えて、電車に乗り込んで、少しばかり興奮しながらノートを読み返した。佐野が日本の音楽史に残る傑作アルバム『ＶＩＳＩＴＯＲＳ』をリリースした１９８４年生まれの私にとって、彼は時代をともに歩んできたという存在ではない。ロックを好んで聴くようになった頃には、すでにレジェンドと呼ばれる存在だった。遠い存在だと思っていたが、自分でも意外なほど私は佐野という人物に惹かれるものを覚えていた。どこか知性を感じさせながら、それをひけらかすわけではなく、伝えるものはしっかり伝えていきたいという信念のようなものを感じたからだ。一つ一つの質問を決して嫌がることなく、真剣に受け止め、考えてから話しだす佐野の姿は、かつて本人が書いていたような「クール」を体現しているように思えた。

《「COOL」は決して退屈ではない。――世の中の主流に向かって、常に大胆な攻撃力を蓄えているから。

「COOL」はポジティヴだ。――10を表現するところを、6ぐらいに押さえて、結果、12のことを表現できるから。》(『ハートランドからの手紙』角川文庫)

ちょうど私が社員記者をやめようと決めて、独立を選んだ頃だった。彼のインタビュー記事は、私が前職で発表した最後の記事になった。掲載した直後、「ぜひ、ライブを見てほしいと佐野が言っているので……」と彼のマネージャーから連絡をもらった。ライブを見てもどこのメディアにも記事を書く予定はなかったが、直接取材の御礼だけは言おうと思い、申し出をありがたく受けることにした。そこで演奏していた「約束の橋」は、新しい一歩を踏み出すことを決めた私にとって最高のエールだった。

以降、折に触れてライブなどで会い、言葉を交わすようになったが、2020年春からはその数が極端に減った。ノートを見返すと、最後に会ったのは、2020年3月3日とある。私は「群像」の仕事で佐野元春のインタビューに臨んでいた。デビュー40年という節目の年になった佐野の詩を本人と一緒に読み解くため、彼の事務所に向かっていた。歩きながら、最初に何と声をかけようかと考えていた。

少し前、2月に「渋谷公会堂」で開かれたライブで、充実したパフォーマンスの佐野を見たばかりだった。それは、佐野が1986年に発表したアルバム『Café Bohemia』を様々なミュージシャンの手によって再現するという特別なライブだった。昔を懐かしみ、再現するというイベントではない。現代的な文脈を与えられた佐野の楽曲群には、「再現」ではなく、「再構築」という言葉がふさわしかった。

終演後に、そんな感想を佐野に伝えながら、言葉を軽く交わした。その時点でいくつか今後の予定も聞いていた。彼の活動の軸になっているのは、デビューから常にバンドとのライブだった。40周年という節目に入り、バンドの状態に手応えを感じているようで、例年以上に精力的なツアー日程を組んでいた。春のツアーに始まり、夏の野外フェス、秋から冬にかけて全国各地を回り、そして日本武道館と大阪城ホールへ――。ところが、40周年の記念ツアーのキックオフと位置付けていたライブはまもなく、新型コロナウイルスの第一波によって中止すると発表された。

気落ちしているかもしれないな、と思いながらインタビュー場所に指定された事務所に入ると普段と変わらない様子で、大型のパソコンの前に座る佐野がいた。結局、考えても良い言葉が浮かばなかったので、「大変なことになりましたね」という我ながらあきれるほど、当たり障りのない言葉で声をかけることになった。佐野は「そうだね」と相槌《あいづち》を打ちながら席を立ち、こちらのほうに向かって歩きながら、淡々とこんなことを言った。

「まぁ僕たちは誰に頼まれているわけでもなく、聴いてくれる人たちに届ける音楽をやっているからね。中止なら中止で、僕たちにできることをやるだけだよね」

2020年の3月は始まりでしかなかった。一度目の緊急事態宣言が終わると、夏の第二波は野外フェスシーズンを直撃した。秋以降の第三波は多くのミュージシャンのツアーに影響を与えた。音楽は不要とまでは言われないが、不急のものとして扱われ、観客を入れたミュージシャンには、支持と同時に、「感染を拡大させてしまう」と批判もやってきた。

ごく一部の人気ミュージシャンは配信でも何の問題もないが、それ以外は活動の数そのものが減り続けた1年だったし、いつまでも終わりは見えてこなかった。だからといって、国が頼りになるわけでもない。自分たちでやれることをやることが道を切り開くことになる。今から振り返れば、そんなことを佐野は直感していたように思えるインタビューだった。

そして迎えた2021年3月13日、日本武道館――。彼は、二度目の緊急事態宣言下の東京で、観客を入れるライブ開催に向けて動き出していた。開催に先立って発表した「緊急事態宣言」と題されたコメントには、こんな言葉が並んでいた。

《無闇に恐れないで　無駄に油断しないで　いつものフローで行こう　記念ではなく　祝祭でもなく　唄う理由を知るための　まぎれもない証　今ここに迎えた40年ではあるが　今ここで舞台に立てることに感謝　直の場　仮想ではなく現実の場　リアルな場、本物の場》

九段下駅から武道館まで歩く。激しい雨が降っていた。最大で14471人が入る武道館で、上限5000人という制限を守り、観客たちもマスクを着用して席についた。入場時には検温もあり、客同士の距離が自然と離れるように席が設計されていた。これまで何度か足を運んだ武道館では考えられないほど間隔があった。

開演が予告されていた17時から5分ほど遅れ、武道館のライトが一斉に消され、ステージだけがぱっと明るくなっている。アリーナ席はほぼ全員が立ち上がり、しかし、声を出すことはなく、大きな拍手で盛り上げる。会場には期待が充満していた。

17時6分にライブが始まった。バックバンドを従え、黒のレザージャケットに、黒のカットソー、細身の黒のパンツという出で立ちの佐野がステージの中央に立って歌い始めた。

「ジュジュだ」と私はつぶやき、ノートにメモを取った。

佐野は曲と曲の合間に「きょうはいつもと様子が違う。一緒に歌うことはできないけど、心の中で一緒に歌って」と呼びかけた。観客たちはそれに応えた。あくまで、拍手で。武道館には、ミュージシャンと観客が築き上げた信頼関係が確かに存在していた。何から何まで、パンデミック以前のようにはできない。しかし、ミュージシャンだけでなく、観客も自分たちができることを考え、守ることは守る。それが、音楽を守っていくことにつながるからだ。そんな武道館に鳴り響いたのは、コロナ禍にあって、地に足をつけ、現実を見つめ、前を向く人々のための音楽だった。佐野は40周年の記念ライブだからと過去のヒット曲や、話題になった曲ばかりを選ぶミュージシャンではない。しかし、選曲には確かなメッセージがあった。

「優しい闇」という曲に登場する主人公は、ある日を境に何もかもが変わってしまった世界、そして不透明になった未来を憂う。やがて世界には「誰もが痛みを感じている夜」がやってくる。2020年4月に発表した「エンタテイメント！」には、「奇妙なガスに満ちているこの危うげな世界」に住む人々の姿が描写されている。佐野は2019年時点で、この曲の歌詞をすでに書き終えていたと語っていた。

前者は主人公が身近にいる「君」を思うことで、後者は束《つか》の間とはいえ「エンタテイメント」が登場人物の希望になっていく。他の曲にも、今の状況を歌っているかのような状況が出てくるが、登場人物たちは、決して悲観しない。それどころか、危機が終わった後を考えることで自分を保とうとしている。代表曲「SOMEDAY」も、今という時代と摩擦し、まったく新しい曲として響いていた。佐野本人の言葉によれば、これは《ここではない、よりよい場所へ行こうとする、その希求についての歌。状況に翻弄《ほんろう》されながらも、どうにか前に行こうとしている人たちの歌》（『群像』２０２０年5月号）だ。それは、彼のロックそのものが内包しているテーマである。私はこんな会話を交わしていた。

《石戸　「今ではない、ここではない、より満足できる場所を求めていく」という精神が、当時の日本の都市部に共通した傾向として受け入れられるということを直感したということですね。

なるほど、確かに佐野さんが言うように共通点はありますが、しかし「ＳＯＭＥＤＡＹ」の、例えば「若すぎて何だか 分からなかったことが リアルに感じてしまう」という言葉からは、ただ都市で生きる若者を描こうというのではなく、若者が成長の過程で抱く、普遍的な感情にアプローチしようという意欲が読み取れます。

佐野　そうだね、まさしく「成長」というのがテーマだった。「ＳＯＭＥＤＡＹ」では、ある一人のことを描いているように見せつつ、あの当時の若者たちを群像として描くという方法に挑戦しています。群像劇のような楽曲を書きたいと思ったんです。ここに出てくるのは、あの時代の「みんな」です。

石戸　誰か一人の視点で書いているように見えながら、例えば「街の唄が聴こえてきて」の

「街の唄」というのは、人々がというか、聴いた人たちが代入できる……。

佐野　聴いてくれた人が、これは自分の歌だ、と思ってくれるように作りました。群像の中で生きるひとりの若い青年がいる。それを俯瞰からスケッチしました。表現は一人称だけれども、ソングライティング的には第三者からみた観察、という手法をとっています。それまでの日本の音楽は、主体が「私」の曲が多かった。物語というより、その作者のつぶやきですよね。そうした表現はあまり好きじゃなかった。僕が試みたのは、私小説にありがちな叙情的なアプローチではない表現。つまり、叙事詩や叙景詩を書きたかった。目の前の景色をスケッチして、聴き手にその景色から何かを読み取ってもらうというやり方。こうした方法を使ってどこまで通用するかわからないけど、聴き手の想像力を信じてやってみよう。そうして書いた曲が「ＳＯＭＥＤＡＹ」だ。》

今は誰もが、大きな時代状況や政治に翻弄されている。佐野の良きリスナーでもある宮城県石巻市の家具職人は、東日本大震災で被災してから彼の歌を心の支えにして、自分の生活を取り戻そうとした。いつの時代も新作を発表し続け、自分の最新を更新してきたミュージシャンの姿勢を再起の原動力にした。彼は私に言った。「だって、佐野さんもバンド変えたり、新曲作ったり、今でもずっと挑戦しているじゃないですか。震災があったからっていえば、俺の人生はなんでも許されますよ。なにもかもやめる理由ができるから。でも、それでいいのかって話ですよ。もしですよ、俺の家具を佐野さんが欲しいって言ったらどうします？　俺が作っているものが無かったら、渡せないじゃないですか。俺、絶対後悔するわ」

東京に住む小さなアパレル事業者は、緊急事態宣言で人通りがぱったり途絶えたにもかかわらず、飲食店と違い救済の対象にならない時代を嘆くが、自分がそれまで築き上げてきた文化を守ろうと奔走している。彼が自身のＢＧＭとしていたのも、佐野の作り出してきた音楽だった。

彼らは「どうにか前を向く」ために、佐野の音楽を必要とした。無論、それは彼らだけではない。武道館に集った人々もまた同じである。ライブの本質は、音楽を聴くことにはない。音楽を聴くだけなら、インターネットでも十分に代替できる。本当に大切なのは同じ時間、同じ場所に集まり、普段ならなんの接点もないファン同士が、お互いの振る舞いを感じ取ることにある。やがてライブが終わるころにこう感じる。自分は一人ではない。

佐野は「ＳＯＭＥＤＡＹ」を象徴するフレーズを今なら「至福と静寂」と表現したいとも語っていた。この日の武道館は、まさに「至福と静寂」の空間になっていた。定番のコールアンドレスポンスもない。シングアロングもない。デビュー40周年を祝う場なのに、「おめでとう」

と客席から言うこともできない。静寂の空間が曲と曲の合間に広がる。異例ずくめのライブではあったが、そこに音楽があることで、ひと時であっても、集った人々は日常を忘れ、非日常的な至福を堪能していた。

アンコールで力強く歌い上げたのは、私にとっても思い出深い「約束の橋」だった。現代を代表するミュージシャンたちが佐野の楽曲をカバーしたライブで、佐野はこんなことを語っていた。観客からのアンコールに応え、出演者全員がステージに並ぶ。美しいフィナーレへと向かっても誰からも文句はでない場面で、彼はみんなで手をつないで大団円は嫌いであるとはっきりと言った。個々のミュージシャンがそれぞれの意思を持って、集まる姿にこそ美しさがあるのだ、と。そこで演奏された一曲も「約束の橋」だった。

佐野元春の「詩」には、全体を貫く一つのテーゼがあると思ってきた。それは小さな政治的なテーマに回収されるようなものではなく、もっと大きく、そして大切な何かである。佐野がインタビュー中に語ったように、それは「個」という言葉に集約できるのだと思う。個というものはとても崇高なものであり、いかなる力によっても、不当に侵害されるものではない。個であることを大切にし、貫きながら、しかし「わかる人がわかればいい」という前衛にもニヒリズムにも陥らず、大勢に届けることを忘れない。常に一人のアーティストであり、時に理不尽な現実のなかで、言葉と音楽を掛け合わせて、次へ次へと向かっていく力をどこまでも信じる――。

19時50分、ライブが終わった。佐野はほぼノンストップで、全29曲を歌い上げた。41年目に突入した佐野元春は、40年目なんて通過点に過ぎないと自ら証明して、手を振りながら舞台から去っていった。アメリカで一時代を築いたアレン・ギンズバーグの最も優れた翻訳者であり、佐野とも交流があった詩人、諏訪優は「苦難の時代こそ詩人とその詩にとって、ある意味でこれ以上の舞台はない」と記している。ポピュラーミュージックの歌い手も同じだろう。佐野自身が前に進み続ける姿勢を示したことで、２０２１年の武道館はロックにとって最良の舞台へと変わった。普段と違って、終演後、彼と言葉を交わすことはできなかったが、私には訊《たず》ねることは何もなかった。何か聞いても「その答えなら、ステージにあっただろう」と言われてしまいそうだな、と思った。

すべてが終わり、観客たちはまた路上に戻り、家路を急ぐ。20時にはほぼすべての飲食店が閉まっていたため打ち上げもできない。武道館周辺はしんと静まり返っていた。それでもみんな満足そうな表情を浮かべていた。

「すごく良かったね」と武道館から駅まで歩いていた女性は言った。

「今までで一番だったかも」と一緒に歩いていた男性は静かに、しかし確かに興奮した様子で返した。

「私、途中で泣いちゃった」

「うん。俺も。やっぱりいいね、ライブって」

「ねっ」

開演と前後して激しい雨は止んだ。この日、２０２1年3月13日は佐野元春、65回目の誕生日。雨上がりの夕空に鮮やかな虹がかかったという。

軽く一杯

荻窪駅前のもつ焼き「カッパ」と言えば、酒場好きの間では知らない人はいないという老舗である。夕方前に店を開けば、焼き台を囲むようにできた小さなコの字カウンターはあっという間に満杯になり、入れ替わり立ち替わり客がやってくる。いまは一列あたり4席となって若干の余裕ができたが、かつては5席あった。平成の大ヒット曲ではないが「肩を並べて飲んで……」という表現がぴったりはまる店だった。

「カッパ」が愛されてきたのは、創業以来まったく変わらない――もちろん、値段は多少変わったが――シンプルなメニューにある。1本110円、豊富な部位がそろうもつ焼きと野菜、これはそれぞれタレ、塩、醬油《しょうゆ》と食べ方を選ぶことができる。加えてお新香、飲み物ですべてだ。

焼き台に立つのは、中根恵美《なかねえみ》である。62歳になる彼女は20年以上、変わらずに立ち続けてきた。焼き手に限ると、創業した彼女の父、母方の叔父、その後継となる3代目。暖簾をくぐれば彼女が立っている――。

「開店の年？　これはね二つの説があって、父は昭和32（1957）年だって言っていて、亡くなった母は昭和30（1955）年だって。前は取材にも昭和30年説で出ていたけど、今はまだ生きている父を尊重して、昭和32年説にしているよ。なんで2年違うんだろうね。もうわかんないよね、ははは」

快活な彼女の生活もまた、その間ずっと変わらない。

午前中に家事を済ませ、正午前には店に到着して、仕入れ先から届いた鮮度のいいもつをタン、カシラ、トロ、ハツ、レバーと部位ごとに串打ちを始め、スタッフがやってくると3～4人で各々手分けをしながら仕込みを進める。それと並行して備長炭に火を入れておく。炭を焼き台に並べながら、彼女から見て左手のほうに手際よく、もつと野菜の串が並んでいく。オープン前の15時ごろに一息入れ、16時過ぎには焼き台に炭を入れて火の状態を確かめながら、暖簾をかけて16時半に店が開く。

新型コロナウイルスが流行する前と比べて30分ほど開店時間は早くなり、閉店時間は行政の指示に従って20時になったり、21時になったり、あるいは22時になったりと変わってきたが、生活のリズムは大きく変わることがなかった。

2020年4月、一度目の緊急事態宣言の時は店を完全に閉めた。開けるという選択肢もあったが、この店には毎日のように通ってくる高齢の常連も多く集う。当時は、まだまだ未知の感染症という要素も残っていたが、確実にわかっていたことは高齢者は重症化しやすいということだ。店を開けたらどうなるかは、想像すればすぐにわかる。常連たちは連日やってくるだろう。それは、感染リスクを高めることになってしまうのと同義だ。常連を考えて、「カッパ」は開店以来初の長期休業を選ぶことになった。

転んでもただでは起きない。長期休業中もテイクアウトメニューの開発に乗り出し、これも初めてもつ焼き、お新香以外に「レバ燻製《くんせい》」「もつ煮」といったテイクアウト限定メニューが完成したのだった。それは仕入れ先のためでもあった。「カッパ」の営業がないということは、仕入れ先にとっても打撃になる。打撃をなるべく小さく、かつ常連への影響も小さくするためにどうしたらいいのかを考え抜いた末に、見つけ出した知恵だった。

彼女の両親は店をこよなく愛していた。母の口癖は「うちは居酒屋ではなく、もつ焼き屋」だった。酔客お断り、焼酎や泡盛といった度数の強い酒は3杯までというルールは母の信条を形にしたものだ。父の信念は「焼き手は毎日同じ顔が良い。店の顔がころころ変わってはいけない」だった。2人はともに、何かといえば「店を閉めないでほしい」と口癖のように言っていた。

焼き台の前に立つ人生は想像もしていなかったと彼女は言った。子供の頃はむしろ「もつ焼き屋の娘」であることが嫌だったのに、なぜ継ぐことになってしまったのか。

社会人生活のスタートは、意外なことに高校教諭だった。大学で保健体育と養護教諭の免許を取得し、最初は体育教諭を目指した。都立高校の採用試験に臨んだ際、養護教諭で採用が決まった。迷いはあったもののしばらくの間、キャリアを積み重ねることにした。教諭同士で結婚した夫は都内の私立高校で強豪野球部を受け持つこととなり、毎年のように甲子園を目指す生活になった。そんな2人の間にやがて長男が誕生し、さらに双子の長女と次女が生まれると職場復帰を考えるような余裕はなくなってしまい、専業主婦としての毎日が始まった。

そんな彼女のもとに、誰の人生にも一度は訪れる決定的な人生の転機が訪れたのは、1999年のことだった。発端になったのは、彼女の言葉で表現すれば「身内の不幸」ということになる。ここで詳細には踏み込まないが、彼女にとっても、周囲にとってもショックが大きかったことは記しておきたい。高齢の母もその年に逝った。そこで彼女は考えることになる。大切な人たちの死が続いた中で、芽生えたのは、自分の手で守れるものを守りたいという強い感情だった。自分にとって「守りたいもの」を突き詰めれば、「カッパ」ということになった。その感情は自然と芽生えてきたものとしか形容できない。

「人間は生きているだけですごい。そう思えるような出来事が続いた年だったかな。母は本当にお店が大好きで、ここでお客さんと接することが好きで、残してほしいってずっと話していた。父も叔父も高齢だったし、私が守ろうと思ってしまった。私がもっと器用な人間だったら、好きなことをやろうとか、やりたいことを全部やろうとか考えたんだろうね。でも、そんなことは全然考えなかった。とにかく守れるものは『カッパ』だな、と」

99年に夫の仕事の利便性を考え、長く住んでいた千葉県の郊外から、実家のある荻窪に一家で引っ越し、40歳を超えてからの手習いが始まった。両親の背中を見て育ったとはいえ、ずぶの素人であることには変わりない。一切のプライドを捨て、一切の先入観を捨て、すべてをまっさらにして修業が始まった。「恐れ入ります」と挨拶をしながら、焼き始めると、常連たちはおっというような顔をした。修業中の焼き手が立つなんて珍しいこともあるものだ、といった表情である。だが、彼らは彼女の決心を拒絶するようなことはしなかった。いまから思えば完成度の低い焼きすぎた串であっても、時に注文を間違えたものがあっても「いいよ、いいよ」と口に運び、お代を置いて帰った。成長がなければ常連たちも離れただろう。だが、そうはならなかった。

そのうちに彼女にも客の姿を観察する余裕が生まれるようになり、焼き台の面白さにも気づく。例えば、同じ注文であっても人の好みによって焼き加減を変えることがある。「よく焼き」

といって、よく火を通して食べるのが好きという客もいれば、ちょうど火が通った直後のタイミングを好む客もいる。炭の状態も毎時間違うので、「あぁいま来てくれたら最高の状態で出せるのに」と思う時に限って客がまったくいなかったり、それとは逆に炭を足したばかりのタイミングで客がやってきて慌ててしまったりと、繰り返しと思われがちな日常の中に微細な変化がある。

継ぎ足し、継ぎ足しで作ってきたタレも、時代に合わせて少しずつ味を変えている、というより客の好みに合わせて変わってきた。昔と比べて甘みを少し抑えて、よりきりっとした味わいのものへ。同じように見えて、同じことが繰り返されることがない焼き台の日常を彼女は好きでいることができた。職場から帰り、家に戻るまでのわずかな時間に立ち寄り、軽く一杯ともつ焼きを頼んで帰る客がいる。「一服」という感覚で立ち寄り、その日のストレスを鎮めて、家へと帰っていく。そんな姿を見るたびに、彼女は店を開けていてよかったと思う。

「イライラまで家に持ち帰って、家族に当たり散らすより、ちょっと立ち止まる場所があって、そこですっと収めて帰れるならそのほうがいいと思うんだよね。その意味では、ここは『家族円満』の役割を担っているのかな。今はテレワークの人も多いでしょ。『今日一日、誰とも話していないよ』って言いながら入ってきて、食べて帰っていく人もいるしね」

99年を境に変わらない生活を続けてきたが、周囲は変わり続けてきた。その変化を受け入れるだけで、人生は十分なのかもしれないと思う。高校時代、一人につき米1合分の弁当を用意してきた3人の子供は、大学時代に全員が「カッパ」を手伝った。社会人として独立し、孫も生まれた。最大の変化は、大学卒業後、食品関係の会社で5年半ほど会社員を続けていた長男の優樹が、20代も後半にさしかかったとき「カッパをやりたい」と言ってきたことだった。会社員を辞めて、世界各地を旅行で回っていた。はたから見れば将来を不安視されるような行動でも、彼は彼で、旅のなかで少しずつ決意を固めていた。

「なんで、息子さんは継ぎたいって言ったんでしょうね」と聞くと、カウンターの中で開店準備を進めていた彼女は少し手を止めて、スマートフォンを鳴らした。

「それは本人に聞いてみたらいいよ」

34歳になった優樹は、実質的に2号店にあたる中野駅の「カッパ」を任されている――「ええ、最初から継ぎたいなんて思ってなかったですよ。サラリーマンやっていたときに、疲れて家に帰るときに毎日同じ人がいて、同じようにやっている場所を見ると安心するという気持ちがわかるようになったんです。世界中を回った時も、昼間はいいんですけど夜、ふと一人になると寂しいなと思って、そんな時に思い出していたのは『カッパ』でした。ああ、やっぱり家族でやる店は良いなって……」

店は彼女の代で閉めることにしていたが、それを止めたのは背中を見ていた家族だった。役者として舞台に立っている娘の百合香も合間を見つけては店を手伝っており、結局は家族で続けている。

新型コロナ禍で、これまでなら混んでいたような金曜の夜でも空《す》いている時間ができ、冬場であっても換気のために入り口を全開にして寒さは我慢してもらうようになった。この日「久しぶり」と言いながら入ってきた高齢の男性客は、「自粛」を続けていて、しばらくの間顔を見せなかった客だ。これまでなら許容していた客同士のおしゃべりも、あまり大声が続くようなら彼女が注意する。そんな店には独特の磁場があるようで、足繁《あししげ》く通う客はいる。

ところで、とその日の飲み代を払い、お釣りを受け取りながら私は切り出した。

「一体、なんで『カッパ』なんですか？」

「父が言うには、カッパは皿に水がないと生きていけない、もつ焼きも飲み物が必要。同類だってことだったね」

冗談のような本当の話を聞いて、席を立った。そこには磁場――彼女の何があっても変わりようのない堅牢《けんろう》な日常があった。そんな日常に惹きつけられて、客は訪れるのかもしれない。それは、かけがえのないことである。

自粛警察

これは彼の日常の一部始終である。

新型コロナウイルス第一波下に初めて出された緊急事態宣言は、多くの副産物を生み出した。その一つが「自粛警察」と呼ばれた人々の存在だ。当時、新型コロナウイルス流行抑制に協力するため、多くの店舗が休業もしくは時短営業に協力したが、中には営業を続けることを選ぶ人々もいた。当然ながら、営業の自由は認められているので、営業自体には問題ないはずだが、これを攻撃する人々がいた。それが自粛警察だ。

私の言葉で定義をするならば、「自粛に協力していない、と彼らが勝手に認定する店舗を見つけ、自粛を求める私的制裁行為」となる。ターゲットになったのは、パチンコ店だった。今となれば、みんなが同じ方向を向いて、ほぼ黙って打ち続けるだけのパチンコにそれほど高い感染リスクがないことは周知の事実となっている。

ちょうど、1年前の4月〜5月は自粛警察行為も各地で報告されていた。それが、である。二度目の緊急事態宣言が出た2021年年始の第三波、大阪で流行が拡大している3月から4月の第四波と大きな流行の波が押し寄せているはずなのに、自粛警察は東京から姿を消した。一体、なぜ？　私は1年前に取材した、27歳の〝自粛警察〟ユーチューバーを訪ねた。彼はこんな男だ。

「病気です、病人です。あのおばさんを見てください。病院に行けよ。家に帰れ、この野郎。小池都知事の言うこと聞けよ、ババア。みんな、外出自粛してるんだよ。パチンコじゃなくて、病院に行けよ」

「撃退・報道系ユーチューバー　令和タケちゃん」を名乗る男が都内のパチンコ店の前で、訪れる客に暴言を浴びせる動画がインターネット上で物議を醸《かも》したのが、2020年の5月だった。きちんとセットした髪に、スーツにサングラスをつけてマイクを持った彼は、冒頭からこの店に集う客を映し、執拗《しつよう》に罵声《ばせい》を浴びせ続けた。彼の姿は、誰に頼まれたわけでもないのに自粛を求め、開いている店舗に押しかけ私的制裁を加える「自粛警察」のイメージそのものだった。

だが、一方で彼はもう一つの顔を持っている。彼は大分県育ちで、当時、東京都内の建設系の会社に勤める会社員でもあった。自衛官の経験もある彼は、多くの人と同じように社会生活を営む若者である。当然ながら、暴言を浴びせ続けるようなコミュニケーションだけで生きているわけもない。

オンライン上の激しい暴言と、オフラインでの生真面目さ……。そこに興味を持った私は、インスタグラムのダイレクトメッセージで取材依頼を送った。彼にとって、決して気持ちのいい取材にはならないし、受けるメリットは少ない。返事はないだろうと思いながら朝7時56分に送信ボタンを押すと、間髪を入れず律儀な返事が返ってきた。「おはようございます。取材お受け致します」、と。

初対面の取材で印象に残っているのは、生真面目さだ。紺のスーツ、胸元に拉致被害者救出運動のシンボルであるブルーリボンのピンバッジが光り、クールビズ期間なのでネクタイを外し、その代わりに「首からかけるだけでウイルスをブロックする」という触れ込みの商品をかけていた。それを指摘すると、にっこりと笑いながら「やっぱり新型コロナウイルスは不安です。効果があるかはわからないですし、気休めみたいなものかもしれませんね」と言った。

このご時世だからとマスクもしっかりしており、「まぁ距離も取りますから、取材時には外してもらっていいですよ」とこちらが話すまで外さない。電車内で咳《せき》をしている人がいれば距離をあけて、手洗いは政府が推奨する「ハッピーバースデートゥーユーを二回歌いおわる程度の時間」をかけてしっかりと洗い、家に帰ったら服は殺菌スプレーをかける。この間、政府の要請に従い、外食も自粛し、多くの時間は家にいた。物腰は柔らかく、人当たりも悪くない。

ユーチューバーとして、彼も撮影用のカメラを持ってはいたが、こちらの取材なので撮影は許可できないと話せば「そうですよね。わかりました」とあっさりと了承して、以降、カメラを持ち出すことはなかった。カメラをしまいながら、「本職の方を前に恥ずかしいのですが、自分が報道系と名乗っているのは、社会を良くしたいと思っているから」と言った。

「令和タケちゃん」は北海道に生まれた。父は大分県出身の自衛官、母はタイ出身である。小学生時代に大分に転校、その後は父親の定年まで同県由布市に住んでいた。やがて母は、中学時代に病気の悪化を理由に帰国したままになり、高校2年時、彼が17歳の時に父が脳幹梗塞で亡くなった。親族の付き合いもなかった。助けてくれたのは近所のおばさんだ。若くして独りになってしまった彼を心配し、格安でアパートを手配してくれた。このとき、困った時に手を差し伸べてくれる人間のありがたさを知ったという。

「人は助け合って生きていくのだと思いました。ここで誰も助けてくれなかったら、自分は生きていけなかったと思います。困っている時に、人を踏みにじったり、自分だけが良い思いをしようとしたり、助け合ったりしないのは違うだろうと思うのです」

3年時は奨学金で学費をまかない、生活費も切り詰めて卒業までこぎつけた。父の本棚にあったという、田母神俊雄《たもがみとしお》ら元自衛官が書いた本を読み漁っていたことも大きかったのだろう。彼は時期を同じくして、大分県で日本人拉致問題の運動に関わりを深めていくことになる。家族の喪失を埋めるために、家族と離れ離れになった人々への共感が強まったからだという。活動に一つの居場所を見つける。

自衛官を志したのは、父の影響、そして「国防の最前線で働いてみたい」という思いからだった。亡くなった父と同じ駐屯地で、自衛官としてのキャリアを歩みだした。3年間の自衛官生活を経て、「いろいろなことを経験したい」と民間会社に転職し、2018年7月に大分でユーチューバーデビューを飾る。同年8月に会社の人事で東京に引越してからも、活動を継続してきた。

転職もデビューの理由も、すべて若者らしいノリと勢いに任せた結果と見るのが適切である。ユーチューブを始めたのは、たまたまサイト内で見つけた、警察官から職務質問を受ける姿をすべて映すラッパーの活動に感化されたからであり、それ以上に深い理由はない。件のラッパーのように自分も面白い動画を撮影し、面白い人生を送りたい、と思ったことがすべてだ。

もう肉親も日本におらず、誰に迷惑をかけるということもない。実際に当初の動画は、本人の言葉を借りれば「おふざけ系」の企画がかなりの割合を占めている。例えばハロウィンの夜、同世代の女性に次々と声かけるという動画が残っている。そこではしゃぐ彼は、刹那的であり、どこかで特別な瞬間を得たいと思っている若者像そのものだった。

特筆すべき点があるとするならば、現在の「撃退・報道系」スタイルを確立するにあたって、彼が最も強い影響を受けたのは、当時「ＮＨＫから国民を守る党」の党首を名乗っていた立花孝志であることだ。ターニングポイントは、２０１９年の参議院議員選挙である。

立花が激賞したのは、彼がアップした日本共産党の参院議員の選挙活動にカメラを持って突撃し、「違反行為」と彼が認定したものを私的に「取り締まる」動画だった。元々、インターネット上で話題にはなっていたが、立花のお墨付きを得ることでさらに数字は伸びた。ＮＨＫに関連する過激な動画を大量にアップすることで知名度をあげ、結果的にこの参院選で議席も獲得した立花は、彼からすれば「大物ユーチューバー」でもある。国政上の影響力と、ユーチューブ上の影響力は大きな違いがある。彼にとって、立花からの評価は尊敬している先達からの評価に他ならない。立花は、彼から受けたインタビューの中で、上機嫌でユーチューブ論を語っている。

「一つのことにこだわりを持って、続けることだ。自分の好きなことをとにかく極めていくほうがいい。好きなことならば苦にならない。月に１００万、１０００万稼ごうではなく、好きなことをやってもある程度の収入になる。そっちのほうが成功だと思う」

この一言はおそらく立花が思っている以上に、「令和タケちゃん」の方針に影響を与えてしまった。彼は元々、政治問題を語ることは好きだった。だが、真面目に語っても、多くの人は振り向いてくれない。影響を受けたラッパーのように、あるいは立花のように物議を醸すスタイルを極めれば、関心を集めることができるだろうと彼は思った。実際に、共産党議員の動画は「当たった」。一つのことにこだわれば、成功への道が開ける。こうして、彼は問題が起きているところに突撃し、「取り締まり」、問題提起をするというポジションを確立するようになる。

「同じ違反行為でもAさんならダメだけど、Bさんなら許されるというのが私は個人的には許せない」と、ある時は路上喫煙を「取り締まり」に出かけ、ある時は左派系の政党を中心に攻撃し、ある時は右派系を中心に選挙活動を中継する。行動は常に炎上すれすれで、そこに煽動的なタイトルをつけることで、動画の再生回数は文字通り桁違いに伸びた。最初は数千回がせいぜいだった再生回数は、10万単位に変わった。

あくまで彼の独断とバイアスがかかってはいるが「悪を見つけ、悪を倒し、不正を正す」というノリで展開したシリーズのほうが客観的に見て数字も良く、視聴者のニーズを捉えていることがわかったという。たとえ評価が二分するような動画であっても、「正論だけでは届かない。悪名は無名に勝る。議論が起こること、知名度を上げることのほうを大事にしたかった」

と彼は意に介さない。

お金目当てという批判も目にするが、それも違うようだ。実際に明かしたところでは、ユーチューブから得られる収入は会社員の収入と同程度である。決して少なくはないが、リスクと労力の割に大きな額を稼いでいるわけではない。地方から出てきた26歳の若者が将来的な保証もなく、これ一本でもって東京で生活できるほどの額には満たない。

「お金がないよりはいいですが、自分がやりたいことができているほうが大事です。お金やユーザーは追いかけたら遠のくと思います。筋を通せば、数字はついてくる」

そう立花のアドバイスのようなことを真顔で言い切る彼を見ると、強がっているわけでもなく、本音でそう思っていることがわかる。では、いったい何が最大のモチベーションになっているのか。政治的なイデオロギーとの関係は薄い。確かに彼の動画を見れば非常によくわかるように国家観は右派そのものだ。だが、そのベースになっているのは「社会の不条理を放置したくない」「けしからん、ズルをしている人たちを許せない」という感情以外にない。

そんな彼の「許せない」がパチンコ店に並ぶ客に向かっていったのは、テレビで問題を知り憤った、以上の理由はなかった。「これはメディアのせいというわけではないですが」、と彼は切り出した。

「皆さん開いているパチンコ店を取材して、お客さんの声を流しますよね。その中で『パチンコ打ったっていいじゃないか』と開き直ったような態度をとる客がいました。周囲の住民が恐怖を感じていたり、世間が自粛をしていたりするなか、そのような態度はどうしても許せない。ならば毒を持って毒を制すではないですが、客に抗議をしかけてやろうと思ったのです。必ずしも正しいやり方ではないと私も思っています。賛否両論あることは承知しています」

よくインターネット上の右派は、パチンコ業界に在日コリアンたちが多いことを理由に公然とヘイトスピーチを流す。だが、彼にはそのような発想はないに等しい。彼にとっては、パチンコ店をターゲットに選んだのも、たまたまメディアで見かけ、たまたま現在住んでいるエリアの近くに開いているパチンコ店があったから。たったこれだけだ。

多摩川の近くに住んでいれば、河原でバーベキューをした人々がターゲットになり、もし湘南エリアに住んでいれば、サーファーに「突撃」することになったと語る。パチンコ店が平時に営業していることはなんとも思わないし、客に対してどうこうしたいという思いもない。むしろ休業補償が十分ではない以上、営業することもやむを得ないという気持ちすらあるという。彼の怒りは、やはり遊びに行く客に向かう。

そこで彼は「『自粛警察』だと言って飲食店に貼り紙をしたり、脅したりする人たちとは同じにされたくない」と少しばかり語気を強めた。

「貼り紙は営業妨害ですよね。私は営業しなければならない店が悪いとは思いません。国が積極財政で、もっとお店を支援すべきでしょう。みんなが協力している中で、遊びに行っている人は、自分さえ良ければいいと思っています。医療現場も自衛隊も大変な思いをしていますよね。私は自分勝手な人が許せません。政府が自粛を求めているのに、何をやっているんだろう」

彼にすれば自分も大多数の国民も自粛しているという認識がある。それなのになぜ客はパチンコを打ちに出かけるのか。自分勝手な行動を許せない、というわけだ。彼はあくまで「公道」に立ち、店の敷地にも立ち入っていない。リスクヘッジをした上で、抗議活動をしているという。こうした行動への批判も飛んでくる。それでもやめないのは、動画を見たユーザーや社会からもっとやってくれという声が届くからだ。忘れられないのは、動画撮影を終えて、パチンコ店の最寄り駅に向かって歩いている途中、「近隣住民のおじいちゃんから、自分もパチンコ店が開いているのは怖かった。抗議してくれてありがとうと声をかけられた」ことだ。よくぞやってくれた、ありがとうという声が一定数届くこと。これを糧《かて》にして「令和タケちゃん」は「自粛警察」として行動し続ける道を選んでいく。

それから1年間、彼は相変わらず、路上喫煙者を注意に回り、最近も左派系の政党関係者を糾弾して回っている。彼の原動力になっているのは、変わらず「同じ違反行為でもAさんならダメだけど、Bさんなら許されることが許せない」という〝正義感〟だ。

そんな彼の感情が向かう先から、新型コロナは外れていた。

相変わらず、口調は真面目だった。

「パチンコ店を突撃するのは、もうやめました。だって、いくらニュースを見てもパチンコ店でクラスターが出たという話は聞きませんし、データがでてこない以上、突撃しても意味はないからです。パチンコ店で許せなかったのは、『パチンコ打ったっていいじゃないか』と開き直ったような態度をとる客がいたからです。周囲の住民が恐怖を感じていたり、世間が自粛をしていたりするなか、そのような態度はどうしても許せなかった。自分勝手な態度で医療従事者や私の古巣の自衛隊にも迷惑をかけるだろう、と思ったのです」

「今は1年前の自分を反省している？」

「うーん、でもあのときは未知のウイルスでわからないことがいっぱいありましたからね。あの時は、行動する理由があったと思います」

「今なら、例えば深夜に営業を続けているような居酒屋にタケちゃんの『けしからん』が向かってもよさそうなものだけど、どうしてそっちにはいかないの」

「1年前は私も感染したら死ぬんじゃないかと思っていました。やれ中国の化学兵器じゃないかとか、人類はこのまま滅亡するんだといった都市伝説がインターネットでも広がっていましたが、それは違っていました。自粛をしていれば、感染者は無くなるんだと思っていましたが、ゼロになるわけでもない。飲食店は被害者にしか思えないのです。リスクを減らそうと、きちんと対策をしているお店も多いのに、感染を拡大させていると言われて、売り上げも落ちています。そこに突撃するのは、単なる営業妨害です」

彼自身も1年前との違いを感じていたが、それは彼の視聴者層も同じだった。新型コロナ関連の動画はアクセス数が伸びなくなっている。これは彼のチャンネルだけでなく、多くのウェブサイトでも共通して起きていることだ。コロナ問題を繰り返したところで、視聴者からの支持を得られないとなれば、自己満足で終わってしまう。そこは「テレビの視聴率」と同じように、ある程度視聴者層を意識する必要がある。

なぜ彼も視聴者も変化したのか。その背景は、こう説明することができる。「恐怖の感染症」が広がる中で、社会経済活動をすべて止めることが「正義」だったのが1年前だった。多くの人が多少の無理をしてでも対策に協力をする中で、逸脱行動をする人々――例えば、パチンコ店に集う客――が許せなかった。だが、今はどうか。彼は「Ｇｏ Ｔｏ トラベル」が始まった10月前後には考えが変わったという。

「あれだけ危ないと言われていた満員電車からもクラスターが発生したという話は聞かないで

す。一気に感染者を減らすような完全なロックダウンみたいな政策が日本で無理なら、感染対策をとりながら、感染者が増えたら、ピンポイントで何かをやめて、減ったら元に戻しての繰り返ししかできないのではないですか」

やはり、自粛警察はこの社会の産物である。彼らは決して「異質な存在」ではない。無論、私は彼の行動がすべて正しいというつもりはない。彼の行動を批判することは実にたやすい。相変わらず危うさを抱えているし、彼が語る言葉には自分の過去の行動を正当化したいという思いがまったくないといえば嘘《うそ》になる。しかし、ここから多くの示唆を得ることができるのもまた事実だ。彼の問題は、彼の個人的なものではない。彼らは、極めて「人間的」である。私は当初、「令和タケちゃん」のオンライン上の激しい暴言と、オフラインでの生真面目さのギャップに注目したが、それはギャップではなかったのだ。彼の高い衛生意識と医療現場や自衛隊への言葉を思い出してみるといい。彼のように「けしからん」に突き動かされる人たちは、政府や専門家が求めてきた公衆衛生的に「正しいこと」を極めて真面目に実践してきた。それゆえに、周囲の緩みが許せなくなっていた。

許せないという感情は、さながらアルコールのように、人の心を酔わせる。未知なものへの恐怖は、人から人へと瞬く間に「感染」し、極端な行動を生む。けしからんという感情に酔い、恐怖に突き動かされたとき、人間は普段とは違う顔を見せる。1年前の彼に寄せられた喝采はその証左だ。あのとき、メディアに映し出されたパチンコ店に並ぶ人々を見て、怒りを覚えたという人は、彼と同じ処罰感情を共有している。感じていた怒りをすっかり忘れてしまったという人も同じ感覚を共有している。

「自粛警察」は新型コロナへの関心を失ってしまったが、それは強すぎた恐怖心の反動だろう。「慣れ」というよりも、人間の心理からみて合理的な帰結と考えたほうがいい。一度目の緊急事態宣言と同じような恐怖に頼るやり方は、もう二度と効かず、皮肉なことに自粛警察が活発な時期のほうが、恐怖に訴えることによる感染抑止の効果はあったという事実だけが残ってしまった。

これは彼の日常の一部始終である。同時に、この社会の一部始終である。

三つの顔、一つの道

三度目の緊急事態宣言が出た新型コロナ禍の東京で、あるアーティストの個展が始まろうとしていた。２０２１年５月、東京・アーツ千代田３３３１——。「アーティスト」という敬称は彼にとって、ふさわしいものではないかもしれない。彼、明松《かがり》佑介《ゆうすけ》はカバン作家を名乗っている。自身の名を冠したブランド「カガリユウスケ」のデザイナーであり、ほとんどの商品を自分たちの手で作り上げる「職人」であり、スタッフ２人を雇う「経営者」でもある。デザイナー自身が経営者になることは、日本ではさほど珍しいことではないが、実際に手を動かす職人まで兼ねるとなると、その数はぐっと絞り込まれる。

５月の個展は彼にとっては最新作の展示でもあると同時に、過去から現在までの集大成でもある。バイヤーやカガリユウスケのファンが６００人ほどやってきて、その場で注文も受け付ける。東京での展示を終えると、新作は各地を巡回し、そこでも注文が入る。彼にとって個展は、アーティストとしての新作発表の場であると同時に、経営者として1年の売り上げを占う真剣勝負の場でもあるのだ。

思えば、2020年にあった一度目の緊急事態宣言で彼のリズムは大きく崩れていた。家族とスタッフの状況を最優先に考え、アトリエを閉鎖した。不測の事態に備えて、借り入れを増やし当面の資金を確保したり、会場側と交渉して個展を1カ月延期して開催することを決めたりと「経営者」としてやるべきことはやっていた。だが、職人としては手を止めることになり、アーティストとしても創作に費やす時間は減ることになった。

これは幸運なことでもあるのだが、注文は例年通りやってきて、結果的にアトリエを再開してからの明松とスタッフたちは多忙を極めた。1カ月の閉鎖はそのまま納品の1カ月遅れを意味しており、結局、12カ月でやってきた仕事を11カ月でやらないといけなくなっただけだった。何とかこぎつけた個展開催にぶつかったのが、三度目の緊急事態宣言である。また彼は決断を迫られた。

政治家や専門家は「人の流れを止める」ことを理由に、さしたる根拠も示さないまま百貨店や映画館、商業施設を狙い撃ちするかのように休業を要請し、感染リスクが高いとは言えない美術館なども閉めることになった。昨年同様、1カ月延期をするのか、それとも予告した期間通りの開催か。

「悩みましたけど、開催することのリスクとしないことのリスク、僕たちにとってのメリットとデメリットを天秤《てんびん》にかけて、予定通りやることにしたんですよ。感染症を甘く見ているわけではないけど、やらないという選択にはならなかったですね」

明松と私が初めて出会ったのは、3年前の個展会場だった。彼の名前も仕事も知っていた。私と同じ1984年生まれ。父親は紙漉《かみすき》作家の明松政二で、大阪の泉佐野市で生まれ育った。ファッション系の専門学校に通い、2005年からカバン作家としての活動を始めた。「壁を持ち歩く」というテーマで、レザーの上から建築剤のパテを塗るという手間のかかる技法を用いる。彼の作品は、使い込んでいくと街中にある壁のように経年変化をする。唯一無二の世界観を打ち出しながら、事業を継続させるだけでなく着実に成長させ、有名ミュージシャンでファンを公言する人もいる。

当時、フリーランスとして独立したばかりの私は、アーツ千代田3331に拠点を構えていたインターネットメディアの仕事を請け負っており、頻繁に出入りをしていた。会場で準備をしていた明松に話しかけ、簡単な自己紹介をした。いつか取材につながればいいという下心もあったが、それ以上に彼が作った作品が好きだったこともあり、単純な好奇心から声をかけた。同世代で、しかも好きなカルチャーも近く、それから時々お互いの作品の感想を送りあうようになった。

個展開催に踏み切った理由はいかにも彼らしいものだった。明松は感染症対策のために生きているわけではない。かといって、感染症対策がまったく不要だとも考えていない。感染症対策を最優先に考えるのならば、個展を開催しないことが絶対的な正解だった。「人流」は間違いなく減るだろう。だが、せいぜい500人から600人だ。

平均すれば1日に50人程度が個展にやってくるのだが、訪れる時間はバラバラだ。さっと見て帰る人もいれば、広い意味での商談が始まることもある。マスク着用で、換気も徹底し、いざとなれば距離を取るように促せば、およそハイリスクな場所とは言えない、と彼は考えた。

個展は、商業活動の拠点でもある。明松は「お金のためにやっているわけではない」という言葉を嫌う。作品は商品でもあり、商品である以上、お客に売って手元に届けなければいけない。売れなければ、アトリエは閉鎖し、スタッフの雇用も失われる。

開催前日も、会場設営のためにずっと働き詰めだったスタッフたちの雇用を行政が補償してくれるわけでもない。そうであるならば、選択肢は当然ながら開催に傾くことになる。ただし、例年なら作品と一緒に自身も同行していた地方の巡回展には「お店からの要望と必然性がない限り」行かないことも決めていた。アーティスト本人が売り場に立って、売り上げが大きく変動するのならば今の時代であっても行く意味はあるが、変わらないのならば、わざわざリスクを高める行動を選ぶ理由もないし、相手に負担を生じさせる意味もない。そう判断したのだった。

彼の判断は、地に足が着いている。今回、「カガリユウスケ」作品の多くで、あえての値上げに踏み切った。会場内、数メートル離れた場所から「新型コロナ禍でなぜ」と聞くと、こんな答えが返ってきた。

「去年の夏から秋頃までめっちゃ忙しかったんですよね。アトリエもスタッフ総出で作って、僕も久しぶりに徹夜までして作っていたのに、なかなか手元にお金が残らないなぁと思って、10年ほど値段を据え置いていた定番商品を中心に数字の洗い出しをしたら、利益率がとんでもないことになっている商品もあって。ひどいのだと利益がほぼゼロ。この間、レザーの価格も上がっていて、資材の価格も上がっていて、スタッフに支払う給与も上げていたのに値段を据え置いていたら、それはゼロになるわと。さすがにこれはいかん、と思ったんですよ」

最初の値付けには理由があった。財布のような革小物の場合、彼は「高校生が貯金したら手が届く」程度の価格にしていた。それによって気軽に手に取ってもらい、宣伝物として使われるようになり、彼が主軸とするカバンに注目が集まればいいという目論見《もくろみ》である。そして、実際に注目は集まり、売り上げも上がっていった。これが20代から30代前半までなら正しい選択であったことは間違いない。だが、30代後半になり、次の10年を見据えないといけない立場ならどうか。

健全に利益を出せる品があったがために問題は放置されてきたが、構造としては「経営者」としての明松が、「職人」としての明松に工賃を払わないことで商品として〝お買い得〟なものを作らせていることになる。さすがにこれはダメな経営ではないか。そう思った彼は、取引先の店舗やウェブサイトで値上げを予告した。きっと理解はされるだろうと思ったが、確信はなかった。だが、「今のところ、届く声は肯定的なものばかり」という。マスク姿の彼の目は、少しほっとしているように見えた。


私は、明松が新型コロナ禍で自分自身の価値を再発見したのだと思った。彼の作品が2020年になぜ売り上げを落とさなかったかといえば、それは多くの人にとって生活のために買うものではなかったからだ。出かけるなと言われてカバンを買う人はいない。普通のカバンならそうだ。だが、一握りではあっても彼の生み出す強い作品を手に取ることで力を得る人たちがいた。その人たちにとって、新型コロナ禍であっても、否、むしろ危機であるからこそ彼の作品から強さを欲したのだろう。

明松も人に会うわけではないのに、なぜか新しいアクセサリーを身につけることが増えたという。古代から続く祭りや呪術的な儀式でも、化粧やアクセサリーは人間を変えるためにあった。「日常」から「非日常」へスイッチを切り替えたり、自分の気持ちを奮い立たせたりするための道具の価値は、今も昔も変わらない。

今回、「装う壁」というテーマを掲げ、「シルバー925」という原価の高い金属の加工にも挑戦した。いろんな工具を揃え、自分の手に馴染むものを探すところから始める。そこでは当然ながら無駄も発生するし、およそ効率的な工程ばかりではない。一定の評価がついてくれば、似たような商品が市場に出回るのは世の常だ。彼の手法もやろうと思えば真似することは決して難しくはない。だが「異様」に手間がかかり、かつ自身とスタッフが職人を兼ねることで成り立つクオリティの高い仕事を真似することは容易ではない。

「たとえば、一つの工程を省いたとしても短期的な売り上げは変わらないでしょうね。でも長期的には手を抜いたものを出している以上、影響は出ると思うんです。新作の工具だって、使ってみないとわからないからいろんなものを試す。そうなると損もする。でも、無駄をまったく出さずに、新作が作れるわけがないし、何より成長がないことに自分が納得できないわけです」

細かい仕事は、誰にでも伝わるものではない。だが、一つ手を抜けば、人はすべてに手を抜くことを覚えるものだ。彼のアーティストの感性と職人の意地、そして経営のリアリズムは、手を抜くことが長期的に損を呼び込むという一点で交差し、新しい価値と強さを生み出す。

　私たちは会場を後にして上野駅方向に向かって歩いた。インタビューは終わったが、まだもう少しだけ歩きながら話すことにした。夜のアメ横は行政の要請を無視して営業を続ける飲食店がいくつか出てきており、どの店も活況を呈していた。ほとんどの店は閉まり、暗がりが広がっているなか、開いている店の看板はオレンジや赤で派手に装飾され、電球が煌々《こうこう》と輝き、人が集まっていた。高架下に、路上にまで席を設けて営業する満員の焼肉店があった。その横を、巡回する警視庁のパトカーが通りすぎる。警察は何をするわけでもなく、ただただ何回も通るだけだ。無言のプレッシャーなのかもしれないが、集う客は談笑していた。

「この光景を10年後も覚えているでしょうね」と彼は言った。

「社会は複雑だなって思うから。経営を考えたら、営業を決めた飲食店を責めることはできないし、やってくる客をゼロにはできない。でも、行政の呼びかけだって理解できる」

「もしかしたら、この風景が新しい作品につながるかもしれないね」と私は応じた。お互いどうなっているかわからないが、10年後に「あの時の個展は……」と語っているのかもしれないなと思いながら。

原点

2021年2月5日の東京・お台場である。歩く人の数は減り、平日午後とはいえ「ゆりかもめ」から降りた人の数は私を含め、ほんの数人といったところだった。新型コロナ禍が直撃した観光スポット「ヴィーナスフォート」の一角に「湘南パンケーキ」という店がある。神奈川県小田原市を本拠に、首都圏、福岡などにも進出するカフェグループの支店だ。時折、テレビ番組などでも取り上げられる人気店に成長させたのは、グループを率いる社長の高井勝《たかいまさる》である。

この日、彼がお台場を訪れた最大の理由は、3月20日にオープンを控えている神奈川・大磯店のメニューを絞り込むための試食会にあった。大磯出店プロジェクトの関係者、経営幹部、さらに大看板であるパンケーキの生地を開発した元シェフが一堂に会し、評価をし合う。カフェグループ、といってもパンケーキ以外の食事メニューは店ごとに独自色を出すことが求められている。大磯を仕切るのは、とある国の日本大使館で腕をふるっていたという経歴を持つシェフなのだが……。

「これではパンチが足りないねぇ。もう少しコクがでるように工夫すべきではないかな。これが最高なんだとは思えない」

「盛り付けがあまりにも普通なので、面白さに欠けているんですよ。何か大磯らしさを強調するポイントを作ったほうがいい」

「ベースは問題ないです。今のままでもとても美味しい。ですが、目玉になりうるメニューですから、もうちょっと値段を上げて、具材を足してもいいんじゃないですか」

「キッチンのオペレーションはどうなっています？　注文が重なったとき、最大でいくつ用意できますか？」

シェフやスタッフはきつい言葉も含めて熱心にメモを取る。その場で食べて美味しいというのは評価にならない。カフェメニューとしては、「美味《おい》しい」だけでは不完全なものだ、と高井は言う。シェフ一人で頑張ったら出せるメニューではダメで、スタッフも入れて継続的に提供できるのか、他店との差異をどう打ち出し、新しさをどこで取り入れるのか。仕込み時間まで計算に入れた人的コストや値段の設定まで質問はさらに続いた。

厳しい指摘も成功を願う気持ちのあらわれとはいえ、開店までもう2カ月を切っている。ランチメニューの試食と合評が終わり、ディナーメニューの準備に入った。これまでの張り詰めた空気がやや弛緩《しかん》したタイミングで、「オープンも近いのに、思った以上に厳しい会ですね」と高井に声をかけると、彼は間髪を入れずにこう言った。

「真剣勝負ですからね。だけど、あとでうちのシェフのフォローはしますよ。僕が喜んで迎え入れた大切な人材です。僕は味や現場の細かいところまではわからないけど、今の段階でも方向性は悪くないと思いますよ。出店の準備としては順調です。ちょっと改善すればもっと良いものになるから」

最終的な決定まで、二度、三度と全員が納得できるまで試食会を繰り返していく。マラソンで例えるのならば、いまは折り返し地点を過ぎたところだろうか。ぎりぎりまで調整は続く。

高井が経営する「湘南パンケーキ」の存在を知ったのは、ちょくちょく連絡を取り合っている友人のフォトグラファー、高井潤からの紹介だった。曰《いわ》く「自分の兄がやっている店があって、新型コロナ禍で第三波がやってくることを見越して、商品開発をしていた。店のパンケーキを自分の家で作れる『おうちで湘南パンケーキ』というセットなのだが、ちょっと試してみて、意見がほしい」と商品を送ってくれた。

実際に手順通りに作ってみると、思いのほかうまく焼けたのと、コロナ禍にあってただ感染拡大の「急所」だと名指しされている現状を嘆くだけでなく、新規の取り組みを加速させる姿勢が良いと思った。そんな感想をメールにまとめた。

最初の出会いは友人の兄がやっている店だったが、調べてみるとなかなか面白い。はじまりは、高井たちの母親がやっていた小さな喫茶店にあった。居酒屋経営など飲食業界に携わっていた高井が、小田原駅から少しばかり離れた古い喫茶店を全面的にリニューアルし、新しくカフェ産業に参入したのは2013年のことだった。

彼の狙いは女性と家族層を中心に、駅から少し離れていても食べに行きたくなる店をつくることにあった。そのためには名物と呼べるメニューが必要になる。彼が目をつけたのはパンケーキだった。綿密なマーケティングリサーチというよりも、ほとんど経営者の直感で決めたと言ったほうが正確である。事実、リニューアルを前にして会議でも反対を進言する社員ばかりだった。

「社長、考え直したほうがいいですよ。小田原で1000円や1500円のパンケーキを誰が食べるんですか。値段を500円下げるか、それができないのならばメニューごと変えましょう」

それでも彼は折れなかった。値段の本質は、メニュー単体に対する対価ではない。メニューに加え、インテリアの配置も含めた空間やちょっとしたサービスも含めた店舗全体に支払われるものだ。したがって、高井の反論はいつも決まっていた。

「安く提供すれば喜ばれるという考えは違う。ちゃんとした材料を使って、非日常を提供することが大事だ。非日常を感じられるものを食べたら、みんなＳＮＳにアップしたくなる。それが宣伝になって、来たいと思う人がちょっとずつ増えるはずだ」

どちらが正しかったのか。結果は月の売り上げが4倍に跳ね上がったことからも明らかだったが、彼にも読み違いはあった。馴染み客を相手にした喫茶店が、オープン当初から行列ができるパンケーキ屋に一気に変貌《へんぼう》してしまったことだった。カレー、オムライス、そしてキッズメニューも充実させ、「大切な『ハレの日』にも行ってみたくなる、しかし気取りすぎない」というコンセプトをさらに徹底させていった。

飲食事業に携わる者なら誰もが成功だと思う横浜、お台場といった都市部の一等地にも進出を果たすことができた。それはひと昔前なら「ゴール」と呼んでもいいくらいの出来事だが、2021年には決して喜んでばかりもいられないものになってしまった。

「石戸さん、東京に進出できることは嬉しいし、お台場店の経営もテコ入れしたいと思っていますよ。そこは大事なので、ちゃんと言っておきます。でもね、一方で都市のリスクっていうのをこの間考えましたよ。東京に進出できた。すごい、良かったという考えは、この時代はちょっと危うい」

新型コロナ禍で飲食業界が大打撃を受けている――。現場の最前線にいる高井に言わせれば、こうしたニュースの決まり文句はもう少し丁寧な切り分けが必要ということになる。彼も携わっている居酒屋や夜をメインにした形態の飲食店は確かに厳しい。営業時間が著しく制限され、営業を支えている酒類の販売量も滞るからだ。だが、カフェ事業は異なる。影響がゼロとは言わないまでも、店舗によっては限りなく低く抑えることができた。

緊急事態宣言もあり、地域から自宅で仕事をし、家族で過ごす時間が増えた世帯がいたことが追い風となり、「湘南パンケーキ」でも小田原の本店や千葉県の津田沼店のセールスは決して悪くなかった。問題は、都市部の店舗がそうはいかなかったことだ。

理由は明白である。お台場も横浜も国内外の観光客やイベントが激減したことが強い向かい風になった。施設全体の人出、そして売り上げが店舗の売り上げと直結する。これが都心のリスクだ。「湘南パンケーキ」の都心のアンテナショップと位置付けたお台場店は、前年比でみればほぼ半減だが、売り上げを回復させるためには、まず人出が戻るということが大前提になる。だが、それればかりは、いくら高井たちが経営努力を重ねてもどうにもならない。

「まず、中国や韓国からの観光客が当面見込めなくなりましたよね。それに国内観光もこの調子だとしばらくはダメでしょう。東京の商業ビルを中心に出店するというやり方にこだわってしまうと、うちのような規模ではリスクになる時代が続くと思う」

だからこそ、ローカルの価値を再発見できた。

「これまで通ってくれた地元客だけでなく、少し離れたところからも『こんな時だから気分転換に、ちょっとパンケーキでも食べに行こうか』という人たちが支えてくれるんです」

新型コロナウイルスの流行は、当然のことながら人口密度や人の動きと関係している。都市部のほうが感染は広がりやすく、人の動きが活発になれば流行は起きてしまう。流行を低いレベルに保つことができればいいが、不確実な要素はしばらくついてまわる。これもまた経営努力ではどうにも回避できない。

危機時にプラスに働いたのは喫茶店リニューアル時に掲げた原点、つまりファミリー層をターゲットにしたことだった。最初はパンケーキを食べに、そして他のフードメニューがあることを見つけ、次は家族でやってくる。高井が理想として描いたサイクルが機能した店舗は、ローカルにあった。そこを確信できたからこそ彼は、大磯をはじめ新規の出店にゴーサインを出し続ける決断ができたのだ。

新型コロナパンデミックの前からあったカフェ事業は売り上げが見込めるのではないか、という話は飲食業界の間でコロナ流行後に加速度的に広まり、高井のもとには居酒屋のオーナーや事業者からフランチャイズ契約についての相談、新規出店のオファーが後を絶たない。受け入れることができるオファーは検討しつつ、価値観は明確に打ち出したほうがいいと彼は考えている。

「それって何ですかね?」と私は訊ねた。

「大事にしたいもの……。そう、大事にしたい瞬間を思い出すことです」

彼は頭の中でそれを思い浮かべたのか、恥ずかしそうに笑いながら、ゆっくりと思いを口にした。

「やっぱり家族連れ、ですよね。家族で安心して行くことができる店というのが大切で、そのためにはやっぱり場所を選ばないといけないんです。うちは、おじいちゃんとおばあちゃんが、ちょっとおしゃれして2人でやって来るような店なんですよ。おじいちゃんがジャケットなんか着てね。2人でナイフとフォークを使いながら食べている姿を見ると、あぁ良いなぁって思うんです。これがうちの原点だよなって……」

成長を掴んだ者たち

試合終了を告げるホイッスルが吹かれた瞬間、背番号「11」をつけたベテラン黒田智成《くろだともなり》はピッチにひざをつくと、右手でばんばんと叩《たた》き、敗戦の悔しさをあらわにしていた。1年前は中止になった、東京パラリンピック直前の国際大会「IBSAブラインドサッカーワールドグランプリ」が東京に帰ってきた。選手たちは厳しい行動制限が課された上で、さらに無観客、メディアの取材もユーチューブとZoomを使い、徹底的な接触制限策をとることで緊急事態宣言下での開催にこぎつけた。

2021年6月5日、東京・品川区。世界ランク12位のブラインドサッカー日本代表は、大会史上初めてグループリーグを2勝2分で突破し、世界ランキング1位のアルゼンチン代表との決勝戦に臨んだ。リーグ戦では引き分けていたアルゼンチンだったが、さすがに決勝ではもう一段階ギアを上げたようなサッカーを展開した。

隙《すき》を逃さず、日本が取り組んできたコンパクトな守備陣形を強引に崩しにかかる。エースの「マキシ」ことマキシミリアーノが左サイドに流れ、ボールを受けると力強いドリブルでカットインし、右足を振り抜く。均衡を破る一撃に加え、前半でさらに追加点も奪われてしまい、日本にとって苦しいゲームとなった。

監督の高田敏志《たかださとし》はいつものように冷静な表情を崩さないまま試合を振り返り、「守備のコンパクトさのところがあの2回だけだと思うが、ほころびがあったところをやられた。（0対0の）前回は100パーセントだったが、今回は98パーセント。2パーセントを突かれた」と語った。だが、目標としてきた東京パラリンピックに向けて手応えをつかむ一戦になったことは間違いないだろう。今大会のような厳しい状況の中で、ベテランも含め一人一人が成長し、結果につなげたことは素直に称賛に値する。

11人でやるサッカーと同じように南米勢は強く、11人のサッカー以上にトレンドを意識的に取り入れている。2019年にブラジル代表対日本代表の試合を見たことがあった。ブラジルは主力を欠いているにもかかわらず、圧倒的な技術力や試合運びのうまさと勝利への執念を見せつけていた。加えて、彼らも日本と同じように組織的なビルドアップや、攻守の切り替えに取り組んでいた。「世界最強」と称されるブラジルなのに、セットプレーでは自陣に選手たちを集め、格下の日本相手にもまったく手を抜かずに守備をする。単に組織的に動くだけでは、個々のスキルで圧倒的な差があるブラジルや、絶対的なエースを有するアルゼンチンが上を行く。

「ブラインドサッカー」、パラリンピックで採用される正式の競技名でいえば5人制サッカー（男子）である。競技としての歴史はまだ浅く、パラリンピックに採用されたのは2004年のアテネ大会からだ。出場資格は視覚障害者スポーツにおけるB1、すなわち全盲から光を感じることができる光覚までの選手で、公平を期すためにピッチ上ではアイマスクの着用が義務づけられる。

基本的なルールはフットサルと同じだが、一切の光が遮断された暗闇のなかでプレーするためにいくつか特別なルールが設けられている。この特別ルールがそのままブラインドサッカーの競技特性となっている。

それは代表的なところで四つにまとめることができる。

第一に、ボールの中に鈴が入っていること。フィールドプレーヤーは、視覚ではなく聴覚を頼りに動くので鈴の音色でボールと自身との位置関係をつかむ。

第二に、ボールを奪いにいくプレーヤーは「ボイ」と声を出しながら相手に接近しなければならない。ボイというのはスペイン語で「行く」という意味で、声を上げないと反則を取られる。

　第三に、視覚障害がないプレーヤーが交じっていること。競技では、視覚障害者と健常者は当たり前のように交じり合う。ゴールキーパーは目が見える選手が務める。「後ろの声は神の声」というのは、サッカーの格言だが、ことブラインドサッカーにおいてピッチ上で唯一、視覚を武器として使えるキーパーの声は11人制の神の声以上の重みを持つ。彼の声を頼りに、ピッチ上の選手たちはマークを確認し、細かいポジションを整えるからだ。縦2メートル×横5・82メートルとプレーエリアが制限されているが、彼のコーチングがチームを支える。

　相手ゴールの裏にはガイドと呼ばれるメンバーが立っていて、主にゴールまでの距離や角度を選手に伝えている。トップレベルの選手になると、ガイドの立っている位置まで把握しているので、ガイドが右に一歩ずれれば、シュートも一歩分ずれてしまい、決まるはずのゴールが決まらないということが起こる。

　第四に、ピッチのサイドラインにはフェンス（壁）が並んでいることだ。ボールはサイドラインを割ることはない。フェンスを伝うようにドリブルをすることもできるし、壁の跳ね返りを計算に入れたパスも出せる。フェンスは選手たちにとって、重要な「情報源」となる。

　悲願とも言えるパラリンピック出場を、日本代表はあと一歩のところで逃し続けてきた。前回リオデジャネイロ大会出場を懸けたアジア選手権（2015年9月）は、日本開催であったにもかかわらず、ホームの利を活かすことができないまま上位2枠に与えられる出場権を4位で逃した。アジア勢のレベルは高く、この大会で日本が引き分けたイランはリオ大会で銀メダルに輝き、日本が0対1で負けた中国は4位だった。アジア上位2カ国のうち、とりわけ選手層が厚い中国との間にスコア以上の差があるのは誰もが認めるところだ。

そこで、開催国枠で出場が決まった東京パラリンピックに向けて、監督に就任した高田が目指したのが、現代サッカーのトレンドを意識的に取り入れることだった。

日本のブラインドサッカーでは、攻守の役割を明確にわけて、攻撃は個人のドリブルとシュート、残る3人は自陣に引いて守るという古いサッカーの考えが支配的だった。このやり方だと失点はそれなりに防ぐことができるので、大敗はしなくて済む。だが、勝利につながるかどうかは攻撃する選手の調子や運に左右される。現代サッカーのトレンドは、いかに高い位置でプレスをかけるか、言い換えれば、いかに相手ゴールのより近い位置でボールを奪えるかを理詰めで考えることにある。引いて守るのではなく、ボールは奪うもの。ここの意識変革から強化は始まっていった。

そこで大切になってくるのが視覚に頼らない言葉である。

監督に就任したばかりのことだ。練習の中で、高田は選手たちに「スルーパスを出してみろ」と言った。視覚を使えない選手たちは、今までそんなことを言われたことがないので驚いた様子で言った。

「それは無理ですよ」

「どうして無理なんだよ？『難しい』は言っていいよ。どうしたらいいって言えるから。だけど、無理だなんてどうして自分たちで決めつけるんだ」

高田はサッカーにおけるスルーパスとは何か？ と選手たちに問いかけた。スルーパスとは、相手の裏のスペースをめがけ、味方が走って追いつくパスを出すことだ。スペースにボールが転がった時、選手たちはどのようなプレーを選択しているか。みんな、鈴の音を頼りにボールを走って追いかけている。プレーを分解すれば、スルーパスもスペースにボールを送ることであり、走って取りにいくことに変わりはないではないか。言葉を尽くして説明することで、彼は「できるわけない」という思い込みを変えていった。

言葉の力――。それは、日本代表のゴールを守る佐藤大介のコーチングを観察しているとよくわかる。世界トップレベルの実力を持つ佐藤は「あれ、これ、それ」という抽象度の高い言葉を使うことはまずない。視覚が使えるのならば通じる言葉も、ブラインドサッカーのピッチでは通じないからだ。

指示は常に具体的に、「左に何歩、右に何歩」というところまで落とし込まないといけない。

「コンパクトな守備」という言葉も抽象的だ。ボールを持っている相手選手に誰が最初にプレスをかけるのか、何メートル以内に4人が集まるようにするのか。「コンパクト」という言葉をさらに分解する必要がある。

この大会、そしてパラリンピックで日本代表は1―2―1と呼ばれるダイヤモンド型の布陣を敷いた。軸になるメンバーを固定することで、ボールを持った相手を4人全員が連動して囲い込むような守備をして、ボールを奪い返すという武器をものにしていた。それも目が見えるゴールキーパーとピッチに立つ目が見えない選手たちの間に、共通した言葉があってこそ成り立つ。

その先に生まれる攻撃も目に見えて洗練されてきた。キャプテンを務める川村怜《かわむらりょう》と黒田の卓越したボール捌《さば》き、ドリブルとシュートは今大会でさらに磨きがかかっていた。彼らのようなトップレベルの選手たちは、よく「見える」という言葉を使う。彼らには見るという言葉でしか表現できない特殊な知覚があるようだ。これを単なる比喩と切り捨てるか、見るという言葉でしか表現できない特殊な知覚があると捉えるのか――。川村があるゴールを決めた瞬間のことだ。時間にすればほんの数秒の間に、こんな映像を「見ていた」と言った。

右サイドいっぱいに開いて、ボールを受け取ると、彼はサッカーでいう「ルックアップ」のように脳内で視野を広げた。とっさに寄せてくるディフェンス陣の「ボイ」という声を聞きながら、相手と自分との距離を推し量る。モノトーンの空間の中にボワッと人影が浮かび上がる。この時は3人まで感じ取ることができた。ボールを奪おうと接近してくる相手選手、自分から見てゴールやや左からセンターに絞ってくる選手、そしてゴールキーパーだ。最初の白い影は切り返せば、容易にかわせるだろうと考え、身体方向を右から、斜め左に向けてドリブルを開始し、ここでスピードを上げる。

もう一人残った相手ディフェンスの声が近づき、人影はより大きくなった。同時に、ゴールキーパーのステップ音も聞き取ることができた。その音を認知した瞬間、キーパーの白い影は右足に——川村からすれば左側に——重心を移した。チャンスだと川村は思った。重心の逆を突き、左足でゴール右隅に低く、鋭いシュートを放てば入るイメージが出来上がった。素早くシュートモーションに入る。直前で、ややボールのバウンドが乱れたが、寄せてくる相手よりも思考が整理できていた川村は慌てることなく、倒れこみながら左足を振り抜いた。正確にミートしたボールは、鋭くゴールに突き刺さる。

パラリンピックの種目は、常に「障害があるのに」プレーできてすごいとか、「障害を乗り越えて」競技に取り組む姿を「感動の物語」に変化して消費されてきた。4年に一度だけ感動を提供し、残りの期間は注目もない。感動は一瞬で終わり、その先には何も続かない。

ブラインドサッカーを取材しているとき、関係者や選手たちからも頻繁に聞かされたのは、ブラインドサッカーにはその国、社会の「視覚障害者」に対する考え方が如実に表れるということだった。ブラジルやアルゼンチンに遠征に行けば、道はでこぼこでもブラインドサッカーの専用コートが整備され、代表選手たちは代表として、他の国際大会に準じた扱いで強化の対象になる。かたや日本はどうか。南米と比べて、道はきれいでバリアフリーは進んでいるように見える。だが、代表のトレーニング施設やブラインドサッカー専用コートがいくつもあるという状況にはなっていない。障害者との共生やパラスポーツを口では大事だという人はいるが、実際に専用で使える施設はできず、満足な強化費用すら出てこなかったのが、日本の状況だった。

強化の環境は世界のトップとはまったく違い、注目されるのはパラリンピック本選で、それも結果しか注目されてこなかった。それは障害者スポーツが「障害者福祉」、障害者のレクリエーションと結びつけられてきた歴史が長かったからだ。だが、そんな時代はもう終わろうとしているのかもしれない。

およそ恵まれていない環境ではあったが、彼らは確かなインパクトを残した。東京パラリンピックで日本代表はフランス代表を相手に大会初勝利をつかんだ。さらに、５位決定戦でヨーロッパの強豪スペイン代表を相手に勝って5位という結果を残した。彼らは勝利をつかみ、ピッチで「共生」の具体的な形を体現した。成長の礎を築いた高田は後任に次を託す。

9月30日に、メディア関係者に送られた最後のコメント――《ブラインドサッカーに関わる全ての皆さまへ、本日、2021年9月30日をもって男子日本代表監督の契約満了となりました。2015年11月の監督就任から5年10ヶ月の間、多大なるご支援心から感謝申し上げます。日本代表チームを応援して頂いた皆さまには、今後日本代表のみならず、女子、普及、育成、クラブチームなどブラインドサッカー全体を応援頂ければ幸いです。ブラインドサッカーの益々の発展と関わる全ての皆さまの幸運を心からご祈念申し上げます。

ブラインドサッカー男子日本代表監督　高田敏志》

彼らに課せられた目標は、パリパラリンピックで最低でも順位をあと二つあげることになるだろう。すなわちメダル獲得である。成長を摑めば、その先により高い目標が設定される。出場だけで終わらない次元に彼らは進んでいった。

敗者の足跡

ブラインドサッカー日本代表のリストから加藤健人《かとうけんと》の名前が消えた。正式には7月2日のことである。彼はチームに帯同するが、選手としてピッチに立つことはできなくなった。かつては代表の中心選手で、競技の第一人者として講演をして競技の魅力を伝え、パラリンピック予選が近づけば、注目選手としてテレビや新聞といったマスメディアもこぞって取材にやってきた。ファッションにも一家言あり、大手デパートの丸井グループが、ブラインドサッカー協会にスーツの提供契約を結ぶ会見にも登壇した。地元開催、念願のパラ初出場直前まで日本代表を支えてきた選手である。

先発を争い、2年前までは控えの一番手だった。子供が成長し、パラリンピックの舞台に立つ自分を見せたいというモチベーションも高かった。しかし、東京大会に出場できるフィールドプレーヤーわずか8人の枠を目指し、ベテランも若手もしのぎを削る争いの中、絶対的な存在感を示すことができなかった加藤の地位は、控え一番手ですらなくなっていた。彼のポジションは弱冠17歳、次世代を担う園部優月《そのべゆづき》やコンディションを上げてきたベテラン勢が担うようになり、競争に敗れた。彼は8月28日、日本代表のパラリンピック初戦を前に自身のフェイスブックにこんなことを書いている。

「東京パラリンピックの日本代表に選ばれなかったのはとても悔しいですが、自分は今できることをするだけ」

胸中はそんな言葉では済まなかったはずだが、加藤らしい言葉ではあった。彼は目標のためならどこまでもストイックで、人前でネガティブな言葉を吐くことを誰よりも嫌う。

加藤は1985年、福島県に生まれた。サッカーと出会ったのは小学3年のときだ。華々しくJリーグが開幕し、日本中の子供がサッカーの魅力にとりつかれたのと同じように、少年時代の加藤も夢中でボールを追いかける少年だった。その頃のスーパースターは三浦知良らヴェルディ川崎（当時）の選手たちだ。

サッカー人生で初めての挫折は、福島が誇る全国レベルの強豪、聖光学院高を進学先に選んだことだった。入部早々、加藤はレベルの違いに愕然《がくぜん》とし、一度サッカーを諦めている。上の学年には年代別の日本代表に選ばれたプレーヤーがいた。高校時代から世界を知る選手を目当てに、Jリーグのスカウトや大学の監督たちが聖光学院のグラウンドを訪れる。聖光で活躍すっていた。

Jリーグの注目を集めること、世界への挑戦権を獲得することと同義だった。身近に世代別日本代表とプロ注目のプレーヤーがいることで、集まった選手たちの視線も変わっていった。

街のちょっとうまい中学生は入部しても彼らに太刀打ちできず、わずか1年で退部届を出してハンドボール部に移る。そこから1年は、彼にとって束の間送ることができたごく普通の高校生活だった。高校2年生から高校3年生に変わる春休みのある日、練習中の接触プレーが原因で左目が腫れた。万が一のことを考えて、大事をとって、街の小さな眼科にかかった。

診察室でメガネ型の視力検査器具をかけて、怪我《けが》が視力に影響しているかをチェックした。腫れている左目はなんの問題もなく見えた。問題があったのは右目だ。まったく見えなかった。最初は器具の故障だと思った。だが、レンズを入れ替えても視力を取り戻すことができない。

驚いた医師は「すぐに紹介状を書く」と言って、大学病院の受診を勧めた。福島県立医大病院での検査の結果、判明したのは母方の遺伝によるレーベル遺伝性視神経症、一般的にレーベル病と呼ばれる病気で、やがて視力を失うということだった。本人も気づかない間に右目の視力は落ちており、今は見えている左目も徐々に視力が落ちるという。現実感のない通知だった。

高校3年生になり初めて、学校に通うことそのものが怖くなった。黒板が見えにくくなったので席は前に移り、やがて教科書に書いてある文字が読めなくなった。保健体育は誰の目にも明らかな怪我があったわけでもないのに見学が続き、修学旅行も検査入院のため参加できなかった。学校側も視力障害を抱えた生徒の受け入れに慣れていなかった。テストも最初は文字を拡大する器具を持ち込んだり、彼の問題用紙だけ文字を大きくしたりすることで対応していた。だが、それでも見えなくなり、口頭試問のような形で教員が問題を読み上げて、その場で加藤が答えるといった形も試された。難易度は高く、これまでの高校生活で縁がなかった赤点が続いた。

当時、加藤は儀式のように自分の部屋にかかった時計を確認していた。朝、ベッドの上で目を覚まし、時計に目をやる。「よし、まだ針がはっきり見える」と確認する。やがて、1カ月前まではっきり見えていたはずの針が、薄ぼんやりとしか見えなくなっていることに気がつく。それでも「まだ見えている」と思い、気持ちを落ち着けた。ベッドの上からは何も判読できなくなり、近づいていってようやく見えるまでになった。ついに、近づいていっても見えにくくなる。目を閉じて、朝起きるという日常に恐怖があった。

怖いといえば、下校中の夜道も怖かった。光が少なくなり、真っ暗のなかを歩く。いつもと同じ道が、全く違うものに感じられた。サポートしてもらうという発想そのものがなく、学校に行くことが苦痛になった。進路を決めて、運転免許を取得したという話が羨ましかった。もし病気がなければ、話の輪に加われたかもしれないのに、車の運転は自分には一生、縁がないと思い、友人たちの輪から離れた。

加藤の病気を知っている同級生は、レンズを通して携帯のメールを確認しようとする彼に「そういうのは、やめたほうがいいよ」と忠告した。今ほど、ノーマライゼーションという言葉が広がっていない時代である。「障害者」という言葉で連想するのは、中学時代に特別支援学級にいた知的障害や発達障害がある生徒たちで、彼らのことを「一人では何もできない人たち」だと思っていた。意識されていない差別は周囲にもあったが、誰よりも加藤を差別していたのは加藤自身だった。

高校を卒業後、福島の盲学校に通ったが、常に気にしていたのは誰かに見られていないかということだった。「一人でできる」ことが減っていったことで、彼は自分を無価値な存在だと思うようになり、ゴールデンウィークを境に休校を選んだ。引きこもりがちになった加藤を救ったのが、ブラインドサッカーだった。

父がインターネットで調べ、ブラインドサッカーという競技を知った。福島から車で行ける視覚、聴覚障害者のために開学した筑波技術短期大学（現在は筑波技術大学）に本拠を置くクラブチームがあることがわかり、見学にいくことになった。まだかろうじて、視力が残っていた加藤は、アイマスクをつけた選手たちのプレーに驚嘆した。こんなサッカーの世界があるのか、という驚きが第一にあった。次に驚いたのは、彼らから誘われたことである。見学に訪れた加藤に、スタッフはこんな言葉をかけた。

「一緒にやろうよ」

その一言からブラインドサッカー選手、加藤健人が誕生した。

筑波技術短大に進学した19歳の春は彼にとって、第二の人生の始まりでもあった。両親の元を離れ、大学の寮に入る。学内には自分と同じような視覚障害者がいて、年上も年下も関係なく共有のキッチンやトイレを使い、中には盲導犬を連れて歩いている人たちもいた。3年の学生生活で、すべてを人に頼りっぱなしになるのではなく、自分ができることと、周囲のサポートが必要なことを切り分け、できることを増やしながら生活に慣れることを覚えた。日々の暮らしの中でも、視力は落ちていき、20代前半にはほぼ全盲に近かったが、不思議と怖さは消えていた。

ブラインドサッカープレーヤーとしての加藤にとって、最大のアドバンテージは視力があった子供時代にサッカーを経験していたことだ。キックのフォームも美しく、キックの種類を瞬時に使い分けながら、シュートを打つことができる。何も聞かされずに加藤のキックを見れば、明らかに経験者のそれとわかる動きをしている。右足、左足と細かいタッチで音を鳴らしながら進むドリブルも、違和感なくこなすことができた。

逆に最大の弱点は「視覚障害者」になってからの時間が短いことだった。まず戸惑ったのはトラップだ。周囲のメンバーは、聴覚をうまく使って、鈴の音でボールの位置を確認し、全力で走りながら先回りし、うまくボールを収めていた。

彼はボールをうまく蹴ることはできても、トラップはできない。実際にアイマスクをつけて、ブラインドサッカーを体験してみるとわかるが、まずまっすぐ歩くこと自体が難しい。自分ではまっすぐ歩いているつもりが、いつのまにか左か右にずれている。暗闇の中を全力で走るのはその何倍も難しく、最初は誰しも恐怖が伴う。鈴の音を追いかけているつもりでも、体をまっすぐ動かすことができなければ、ボールのありかを割り出して取りにいくこともできない。ボールが収まらなければ、パスも集まらず、加藤はレベルの差を痛感した。

しかし、不思議と嫌にはならなかった。一つは練習を重ねれば、重ねるほど自分がうまくなっていくことがわかったからだ。ブラインドサッカーを始めた2004年に、東日本チャレンジカップで新人賞を獲得したことも自信につながった。

もう一つは「日本代表」という響きに惹かれたことだ。2007年韓国で開かれた北京パラリンピックアジア予選のメンバーに選出された。試合に出ても、緊張でうまく動くことはできなかったが、それでも異国の地で流れた国歌に震えるような感動を覚えた。子供の頃の夢がサッカー選手だった加藤にとって、より高みを目指す契機になった。

2011年には主力を担うまでになった。それから10年である。

パラリンピックに出ること自体が「夢」である時代を加藤は駆け抜けてきた。開催国枠で初出場が決まってからの強化はアジアではなく世界、そしてメダルを強く意識したもので、エースの川村怜や黒田智成は確実に力をつけていった。

日本チームの進歩を象徴するゴールがある。パラリンピック5位を争った日本対スペイン戦の決勝ゴールだ。ブラインドサッカー発祥の地、ヨーロッパチャンピオンのスペインを相手に日本は一歩も引かないサッカーを見せた。そして、右サイドでコーナーキックを獲得する。川村はふわりと浮かせたボールをゴール前に送った。空中に浮いている間は鈴の音が消える。落ちてきたときのバウンドの音でボールの位置を把握し、かつ相手の立ち位置をつかんでいた黒田は左から斜めに走り、まるで見えているかのように転がるボールをワンタッチでシュートした。右足は綺麗《きれい》にボールの中心点を捉え、次の瞬間、ゴール左隅に突き刺さった。目が見えているゴールキーパーは両手でシュートブロックを試みたが、シュートのスピードが反応を上回った。大会屈指のスーパーゴールが日本を勝利に導いた。

久留米大学で教員免許を取得し、現在は東京・八王子盲学校で中学教師として教壇に立つ黒田は、幼くして両目の視力を失っている。大人になってから視力を失った加藤は、たとえば黒田と比較して暗闇の中で「見る」力に差があるということを一緒にプレーしながら何度も痛感させられてきた。加藤よりも年長であり、40歳を超えながらなお全盛期と言えるような動きを見せる黒田は、やはり「レジェンド」と呼ぶに相応《ふさわ》しい。パラリンピックを目指す選手としての加藤の10年は終わった。

純粋にプレーヤーとして比較すれば、黒田らとの競争に敗れたのは仕方がないのかもしれない。しかし、彼にはもう一つの役割があるように思える。この間、活動の拠点を縁もゆかりもない埼玉に移した。所属する「埼玉T．Ｗｉｎｇｓ」は、日本一を争えるクラブに生まれ変わった。彼らは浦和レッズとも連携し、「サッカー」の世界を多様にしている。T．Ｗｉｎｇｓの活動の拠点は浦和レッズが創設したスポーツクラブ「レッズランド」である。トップチームだけでなく、男女のユースチームとの交流も深めている。それも加藤が、レッズで活躍し続け、現在トップチームのコーチを務める平川忠亮《ひらかわただあき》らと親交を深めてきたことで実現した。

今、私が思い出しているのはこんな光景である。東京都内の小学校で加藤が授業の一コマを担当した。あれはまだ２０２０年2月中旬で、新型コロナウイルス流行の初期段階だった。当時はマスクをつけず、校外の関係者が出入りをすることが許されていた。

体育館に集まった子供たちを前に、アイマスクをつけた加藤は教員2人に縦に並ぶように指示し、手拍子をするように言った。いまから何が始まるのだろうと子供たちは加藤をじっと見る。両足を器用に使って8の字を描くドリブルは流麗で、ボールからはカシャカシャと鈴の音が規則的に鳴っていた。「自分は目が見えないだけなんだ」と子供たちに伝えながら、ときに鋭いターンを決める加藤の姿に、その場にいる誰もが夢中になっていた。同時に人間の可能性を感じさせていた。そう、彼は未来に種を蒔《ま》いたのだ——。子供たちの世界を広げるプレーヤーとして。

「台湾人」のオリンピック

結局、何を見せられていたのだろうか。東京オリンピック組織委員会の会長が、前時代的な女性差別発言によって森喜朗から橋本聖子に代わった。森の事実上の禅譲によって、元Jリーグ初代チェアマンの川淵三郎に決まることよりはましだったと思う。それよりも気になるのが、政治的な決着やドタバタ劇を見せられた揚げ句、社会の関心が、急速にかつてないほど冷ややかなものになったことだ。

振り返れば２０２０年は新型コロナウイルス問題と常にセットで、東京オリンピックが語られた1年だった。史上初となる大会の1年延期が決まったが、ウイルスはだからといって消えてなくなることもなく、第二波、第三波と流行を続け、年が明けても構図自体は変わることがなかった。

感染症の専門家が「この感染状況で、オリンピックなんてできるわけがない、無謀である」

と言えばSNS上で多くの称賛を集め、開催を巡ってアスリートが声を上げれば本人が望んでいない形で賛否両論が飛び交い、結果としてかえって意見を言いにくい状況が生まれてしまったように見える。インターネット上では、誰もが自分の好きな専門家やアスリートの意見をピックアップして、積極的にシェアし、いっぱしの意見を口にしている。私にとって、興味深いのはここだ。

アスリートたちにとっての祭典という意味以上のものが「オリンピック」というイベントに付与されている。なぜ、誰もがオリンピックについて、ここまで熱心に口出ししたくなってしまうのだろうか。２０２１年の日本社会にとって、オリンピックとは何なのだろうか。

私は千葉県佐倉市に向かった。都心から1時間強、ここに国立歴史民俗博物館がある。結果的にオリンピックイヤーとなってしまった２０２１年1月から特集展示「東アジアを駆け抜けた身体――スポーツの近代――」が始まった。目玉は、１９３２年のロサンゼルスオリンピック、そしてナチスのオリンピックとして歴史に名を刻むことになった１９３６年のベルリンオリンピックに日本代表として出場した、台湾出身のアスリート張星賢《ちょうせいけん》の展示だ。

と、いきなり書いたところで、張星賢について知っているという人はほとんどいないと思う。よほどのオリンピック通でもいない、と断言できる根拠がある。台湾の博物館が所蔵していた資料をもとに共同研究が始まっているのだが、日本側の研究者で張の名前を知っている人はいなかったからだ。

例えば、ベルリンオリンピックに出場した「外地」朝鮮半島出身の男子マラソン金メダリスト、孫基禎《ソン・ギジョン》の名は今でも振り返られることがある。孫は当時、大日本帝国のマラソン第一人者であり、記録映画の傑作として――あるいは、ナチスの全面的な協力作品として――知られるレニ・リーフェンシュタールが撮影した伝説的なフィルム『オリンピア』にも登場する。

「『オリンピア』に登場してくる日本選手の中でも、最も長く映っているのは、マラソンの孫基禎である。孫は『オリンピア』の全体を通して、百メートルのオーウェンスや十種競技のモリスと並んで、最長の出演者のひとりとなっている」（沢木耕太郎『オリンピア　ナチスの森で』集英社）

オーウェンスというのは、アメリカで激しい黒人差別を受けながらも金メダリストとなったジェシー・オーウェンスのことだ。華々しい結果を残した孫は、その名を映像にも歴史にも刻むことになった。張はどうかといえば、決して社会から注目されるような成績をオリンピックで残したというわけではない。だからこそ、注目されるということは今までほぼなかった。だが、彼の人生の歩みに着目すれば、そこには植民地台湾、満州、日本という「大日本帝国」が刻み込まれていることがわかる。

彼の人生を紹介しておきたい。張は1910年、日本統治下の台湾に生まれた。5年制の台中商業学校に進学し、陸上競技の資質を開花させる。彼が目標としていたのは、「台湾人」として、初めてのオリンピック出場だったという。最初は長距離や三段跳びなど跳躍系の種目にも取り組んでいたようだが、やがて、400メートルや400メートルハードルを専門とするようになる。張は台湾が植民地として、帝国のシステムに組み込まれた時代の最初期のアスリートとなる。その証左が、展示されていた明治神宮体育大会の参加記念章だ。

台湾の中で代表となった選手は、最終的に帝都としての「東京」に至る道のりが整備される。台湾が一つの地方となり、中央の全国大会を目指す。そこで活躍できれば、次のステップが用意される。張もシステムの中にいた。彼は、台中の名望家の支援も得て、早稲田大学に入学することになった。織田幹雄や南部忠平といった日本の歴史にその名を刻む金メダリストを輩出した早大競走部は、当時、「日本」最高峰の選手たちが集う一大拠点だった。

早稲田大は留学生を受け入れており、植民地からの日本留学という道を整備していた。南部をして「私の前に立ちはだかった早大競走部の厚い壁」と言わしめた部内の競走を勝ち抜いた張は、ロサンゼルスオリンピックの代表に選出された。当時の私大はその時代にあって比較的オープンな環境だったようで、早稲田から選出された選手だけで全員がにこやかな表情でおさまる写真も撮影されている。ちなみに朝鮮出身のマラソンランナー金恩培《キム・ウンベ》も後に早稲田に入学した。移動は船で、生活は規則正しく6時起床、就寝は22時、船上で午後に1時間半の練習というのが日課だったようだ。

国際的には目立った成績を残せなかった張だが、国内ではやはり一流選手だったので、1933年夏の朝鮮・満州遠征で活躍している。1932年に「建国」が宣言された「満州国」でも、帝国のシステムの中にあった南満州鉄道は有望選手の獲得を目指していた。勤務には中国語が必要とされる。その条件を満たしていたのが張で、彼は遠征先で就職の勧誘も受けている。

代表として活動する同時期に、張は台湾というルーツを大切にする活動にも取り組んでいた。国内トップアスリートだったこともあり、東京台湾体育人会という台湾人アスリートたちの集いでも中心にいたのだ。早稲田には台湾人が多かったという事情も重なったようだ。早稲田の開かれた環境とは異なり、就職では明らかな差別も受けている。満鉄の就職試験が大会と重なり、受けることができず、張は八幡製鐵への就職を目指していた時期がある。ここで彼は、植民地出身という理由で就職を断られ、1年間の就職浪人を経験することになった。

「満州国建国」はスポーツの世界にも影響を与えていたが、政治的に動いている時代にあっても、アスリートたちは競技そのものに打ち込み、ルーツを越えてつながっていた。彼の盟友は松平頼明《まつだいらよりひろ》だ。高松松平家の13代当主で、旧華族。早大理工学部から日本陸軍の科学研究所に進み、技術将校となった人物である。同じ競技仲間であり、満鉄に就職した張が神宮大会で上京したときに撮影したとみられる写真が残っている。ダブルのジャケット姿の2人で肩を組み、じっとカメラを見つめる一枚だ。

今でも馴染み深いエンジ色にWの文字が白抜きされた早稲田のユニホームから、白地に流星がデザインされた満州陸上チームのユニホームに。張は環境が変わっても、力をつけて1936年5月の全日本予選の成績が認められ、満州から唯一のベルリンオリンピック代表に選ばれた。ここで、張は台湾、日本だけでなく、満州の期待を背負うたった一人のオリンピアンになった。

大連では熱烈な歓迎イベントもあった。スポーツを政治利用しようという勢力はいつの時代にもいるようで、満州のスポーツ振興は常に政治と結びついていた。張も政治的な動きを感じ取っていたのだろう。日本陸上チームが事前合宿を張ったフィンランドが気に入ったようで、「自分」に声援が送られていて嬉《うれ》しいこと、スポーツを通じた親善に意味があると思ったことを記している。張はベルリンオリンピックでも目立った成績を残すことができず、これを最後の舞台として引退を決意する。

彼は残された手紙の中で、自分の競技人生を振り返り、優勝者と同じようにベストを尽くしたことを記し、もっと強い選手が台湾から出てきてほしいと祈っていた……。

張の歩みは帝国時代の東アジアと密接に関わっている。それにもかかわらず、戦後の日本社会で、きれいに彼の存在が忘れられてしまったのはなぜか。「私たち」の記憶から、帝国時代の日本が抜け落ちているからだ。1940年に開催が決まっていた東京オリンピックは、戦争の激化とともに開催返上となり、1945年8月15日の敗戦を迎えた。スポーツの世界には戦前から戦後にかけて巨人などで活躍した台湾出身の人気選手、呉昌征《ごしょうせい》など「帝国」のシステム下にいた選手はいたが、徐々に「帝国」の記憶は薄れていく。そして台湾は「白色テロ」時代に突入し、張の記録も途絶えた。

同館研究部准教授で、展示代表を務めた樋浦郷子《ひうらさとこ》の言葉――「張は記録の上では目立ったアスリートではありませんが、帝国時代を象徴する台湾人アスリートと言えると思います。私も研究を始めるまで知らなかった彼の存在を通して、なぜこんなにオリンピックの歴史が知られてこなかったのだろうかと考える時間を作りたかったのです」

そろそろ冒頭の問いについて、自分なりの解答が見えてきた。オリンピックの根底にあるのは、スポーツが本来持っている魅力だ。どんなレベルの選手であってもベストを尽くし、極限を目指そうとする姿勢への賛美はある。だが、それと同時にナショナルイベントとしての「オリンピック」が存在している。後者は政治と密接に結びつき、時としてアスリートをも巻き込んでしまう。

幻の１９４０年は「帝国」の威信をかけたオリンピックであり、１９６４年は多くの人々が記憶する「戦後」、帝国とは異なる日本を象徴するイベントとなった。２０２０年の大会はどうか。経済成長とともに世界の先進国となった戦後期の「日本」だが、先の見通しは暗い。成長に彩られた戦後期の終わりの始まりといったところか。

近代を告げる祭典としてのオリンピックは、過剰に近代国家を背負わされてきた。その役割はやがて終わる。もし東京大会が原点回帰し、「国家の物語」を脱ぎ捨て、アスリート個々人の物語を紡ぐ大会を目指すのならば、新たな時代の始まりとも思えるのだが……。

7月23日からの記録

「オリンピック反対論者の主張にも理はあるが、きょうの快晴の開会式を見て、私の感じた率直なところは『やっぱりこれをやってよかった。これをやらなかったら日本人は病気になる』ということだった（中略）これでようやく日本人の胸のうちから、オリンピックという長年鬱積していた観念が、みごとに解放された」（三島由紀夫）
（石井正己編『1964年の東京オリンピック』河出書房新社）

東京オリンピック需要を見込んで一大観光地・浅草周辺にできたゲストハウスが、次々と営業をやめるという選択に至ったのは、2020年の新型コロナ禍からだった。一度目の緊急事態宣言までは持ちこたえていたところも昨年の夏から一つ、また一つと閉店を選び、2021年に入る頃にはまったく新しい店舗に切り替わった場所も少なくなかった。

浅草寺から徒歩圏内にあった、あるゲストハウスは、完全に取り残されてしまった一つである。徒歩1分の駅からはメイン会場の一つである国立競技場や東京都庁がある新宿までは乗り換えなしで、豊洲市場のような観光地にも乗り換えが1回で済むという好立地であるにもかかわらず、次の事業主が決まらないまま、ついに2021年7月23日を迎えた。入道雲が空に浮かぶ真夏の太陽が照らしていたのは、がらんとしたままの空きビルだった。人々はマスクをつけながら、四度目の緊急事態宣言が出ている東京を闊歩《かっぽ》する。57年ぶりの東京オリンピックを迎えた東京の一つの現実である。この日、都営地下鉄の駅に張り出されていたのは、1年前とまったく変わっていないテレワークであり、リモート観戦であり、通勤の分散のお願いだった。

この日、国立競技場周辺にいた人々の声――。

「家が近くにあるので、リハーサルの音や、ドローンの音がずっと聞こえてきました。僕の気分は盛り上がってくるのですが、出勤してみると誰も関心がなくて驚きます。同僚もお客さんもまったくですね。始まったら変わるかもしれませんが……」(アパレル関係者の男性)

「お客さんの数はずっと減っています。2020年からずっとです。緊急事態になれば減って、解除されれば多少増える。でもコロナ以前に戻ったなんて言えません。私の仕事は減っていません。経験が少ない人たちの仕事がまず減って、不安定な環境に耐えられないという人が辞めたからです。他の人の仕事が減ったから、自分の仕事があるのです。それに複雑な感情がない

と言えば、嘘になります」（カフェ店員の女性）

ジョン・レノンの「イマジン」が鳴り響いた後、最終聖火ランナーの大坂なおみが火を灯し、大会は始まった。この日、東京スカイツリーは五輪カラーに染まっていた。

新型コロナウイルスのパンデミック（世界的大流行）下において、オリンピックの成功とは何か。それを日本選手団の金メダルの数で定義するのならば、東京オリンピックはかつてない大成功に終わっている、はずだった。日本は史上最多となる27個の金メダルを獲得したのだから。しかし、オリンピックが終わってもそんな声は聞こえてこない。

菅義偉政権（当時）は「なんとしても、東京オリンピックを開催したい」という一点だけは貫き通した。いつの間にか開催の大義は東日本大震災と福島第一原子力発電所の事故からの「復興」から、パンデミックの克服になった。緊急事態宣言まで出した上で、無観客開催が望ましいという専門家の提言を踏まえる形での開催にこぎ着けた。東京オリンピックはテレビを通じて世界で約40億人が視聴するといった試算を出し、「新型コロナウイルスという大きな困難に直面する今だからこそ、世界が一つになることができて、人類の努力と叡智《えいち》によって難局を乗り越えていけることを発信したい」との見解を繰り返し打ち出してきた。

開催か中止かという選択で始まったはずの議論は、いつの間にか専門家も含めて「開催するのならばどのような条件が望ましいのか」という論点にスライドした。それでも火種は残り続け、野党は繰り返し中止、中断を主張し、ついには専門家から「体を張ってでも止めるべきだった」という声が上がった。そして、最後の最後に緊急事態宣言まで出し、無観客開催が望ましいという専門家の提言を踏まえる形での開催になった。政権からすれば、有観客ならばなお望ましかっただろうが、政治的に妥協できる範囲内での開催という果実だけは手に入れた。

政治の社会とのコミュニケーションは致命的なまでに失敗続きだった。菅は「安全安心」を繰り返したが、そもそもリスクコミュニケーションの世界では、安全と安心は別物として捉えられている。安全は客観的な指標で評価でき、安心は人々の気持ちや感情が入り込む主観的な要素が強いものだ。肝心のパンデミック下のオリンピックにおける「安全」の指標は示されず、結果的に「安心」よりも「本当に大丈夫か」という疑念が広がった。

開催の大義も安全の定義も示されないなかで、辛うじて救いになったことが三つある。第一に祭典があったといっても少なくない人々が冷静な判断をしていたこと。第二に、現場レベルでリスクを下げようとした有名無名の実務家がいたこと。そして、第三に新しくオリンピックに加わったスポーツが、新しいオリンピックの価値を指し示したことだ。

「開催によって、人々はもっと積極的に出歩くようになる」という論調も支持を集めていたが、データを見れば別の側面が浮かび上がる。専門家が呼び掛けた「8月26日まで集中的な対策をして、東京の人流を緊急事態以前の7月前半の5割にする」という提言は全く効果がなかったわけではないからだ。

東京の街を出歩けば、平然と人が歩いているようには見える。だが、開催期間中も人の流れは確実に減っており、厚生労働省アドバイザリーボードが8月18日に発表したデータによれば、8月15日時点で人流を約36パーセント減らすことができていた。掲げられた5割にこそ届いていないが、あと14ポイント、目標の7割は達成できていたことが一つの事実として残っている。

JR東日本の発表によれば、お盆の帰省客も2019年と比べて7割以上減っている。2020年と比べれば帰省客が増えているのは事実だが、「慣れ」が散々指摘された中であっても、多くの人々はパンデミック以前のような帰省を諦め、感染が拡大する中にあって静かに感染症対策に協力するという道を選んだ。中止論、飛び交う賛意と批判といった喧騒をよそに現場の最前線だけは冷静さを保っていた。彼らは外野の喧騒をよそに、淡々とリスクを想定し、実務的に動いていた。無名の実務家たちこそ大会の立役者である。

＊

堀成美《ほりなるみ》という感染症対策のプロフェッショナルがいる。聖路加国際大助教を務め、国立国際医療研究センターなどで感染症看護の最前線に立った。新型コロナ禍では、フリーランスの感染症コンサルタントとして保健所の支援に入ったり、インターネット番組で視聴者からの疑問に答えたり、地上波のテレビで発信したりと多方面で活躍している。ＨＩＶや子宮頸《けい》がんワクチン問題の取材で知り合い、それ以来、時折連絡を取り合ってきた。この間も、取材先のアドバイスをもらったり、最前線で起きていることをレクチャーしてもらったりした。私が彼女を信頼している理由の一つに、徹底した現場主義を貫いていることがある。マクロなデータやエビデンスをきちんと押さえた上で、現場で起きたことを知ろうとする。

「現場主義」で肝心なのは、現場の多様性を理解することだ。大学病院や国立の大病院と保健所、民間病院でも大きなところと中規模の病院、都市と地方、医師と看護師でも立場ごとに「現場」の問題は大きく異なる。多様性を踏まえ、個別に、かつ具体的に語ることが大切であるということを、私は彼女から学んだ。彼女はオリンピック・パラリンピックの会場や選手村の感染症対策に携わった専門家の一人でもある。

「オリンピックで医療逼迫《ひっぱく》という言葉が使われていたが、あまりにも主語が広すぎると思っていた。どこのエリアの、どの病院の、どの診療科で、何床分のベッドがオリパラに関連する患者を搬送して逼迫していると言われたら対策は打てる。そんな声は届かなかった。私には逼迫という言葉だけが一人歩きしているように見えた」

看護師としての現場経験も豊富な堀にとってオリパラは、「真夏のマスイベント」以上でも以下でもない。

やるべきことはあらかじめ決まっている。混乱が起きないように選手や関係者にアクシデントが発生した際、現場の医師・医療スタッフで対応できるものとそうではないものを決め、混乱が起きないようあらかじめ搬送する医療機関を決めておく。感染症はコロナだけではない。マラリアなど輸入感染症への備えもいる。熱中症のような想定可能なアクシデントは、会場ごとに想定される患者数を弾き出し、重度の場合は近隣の病院と連携して対応するように手はずを整えておく。新型コロナについても想定可能なシミュレーションを関係者で共有したり、施設内のゾーニングなど専門的な知見が必要な対策を施したりはしたが、いずれも基本の域を出るものではないという。全ては「普段通り」だった。

その結果がこうだ。朝日新聞（8月9日付）によれば、8月8日までの新型コロナの陽性者は430人で、組織委員会の業務委託先の業者が236人で最多。大会関係者が109人、選手が29人と続き、医療機関に入院したのは3人だった。社会の懸念以上に低い数字に抑えていた。パラリンピックでも、それは変わらなかった。堀の周辺にいた専門家の中には低い数字に、露骨に不満そうな表情を浮かべる者もいた。結果がすべてを物語っている。現場は常に冷静だった。

堀はいつもの柔らかな口調を崩さずに言った。「ゼロリスクはない以上、陽性者は出る想定で準備をしてきたが、十分に低いと思う。多くの専門家に私たちの対策を説明し、『不十分ならば改善するので、指摘してほしい』とアドバイスを求めたが、具体的な改善策は出なかった」

＊

東京オリンピックで、もっとも美しかった瞬間はスケートボードの女子パークにあった。すべての結果が決まった後に繰り広げられた光景である。優勝候補の一角で、圧倒的な技量を誇る岡本碧優《おかもとみすぐ》が最終3本目のランに挑んだ。彼女の代名詞とも言える高難度技、斜め軸の1回転半技「マックツイスト」は成功させたが、最後のトリック「キックフリップ・インディー」で失敗した。結果、彼女は4位となり、優勝はおろかメダルレースからも脱落した。難度の低い技でまとめれば、メダルは取れたかもしれない。だが、岡本はあくまで自らが磨き上げてきた大技をオリンピックという舞台で披露することを選んだ。

順位やメダルの色ではなく、純粋に個人が挑戦し、そこで成功することを喜びたい。そんなチャレンジだった。失敗した彼女は地べたに寝転び、スケートボードに足を乗せたまま、頭を抱え込み、涙を流していた。競技を終えた選手たちが駆け寄り、彼女を賞賛した。やがて、ポピー・オルセンとブライス・ウェットスタインの2人が岡本をかつぎあげた。無観客の会場にいた関係者も拍手を送る。

その瞬間、彼女はその場にいた選手のなかで誰よりも高いところにいた。悔しさもあったはずの岡本も笑顔を見せ、場内アナウンスは「お互いにリスペクトです。だから、いいんですスケートボード」と興奮気味にその様子を伝えていた。

競い合うだけでなく、お互いが一番かっこいい技を繰り出し、決まれば拍手で讃《たた》えて、失敗すれば励ましあうスケートボードのカルチャーが東京から世界に発信された。彼らは国を背負うこともなければ、順位に一喜一憂することもない。個人はあくまで個人として挑戦し、「昨日の自分よりも、今日の自分がよかった」と喜ぶことができる。彼女たちの「普段通り」の姿に新しい時代のオリンピック像があったように思える。

現代のオリンピックはいくら崇高《すうこう》な理念を掲げたとしても、その実態は大規模な商業スポーツイベントにすぎない。競技によっては、世界最高峰の大会としての意義もとっくに失っている。サッカーやラグビーならば最高峰としてワールドカップがある。野球ならばメジャーリーグが最高峰であることに誰も異存はないだろう。

大会の価値は、アスリートたちの懸ける気持ちの総量で決まる。最高峰でないものまで包摂《ほうせつ》し、巨大化するオリンピックは明らかに曲がり角に来ている。そうであっても、五輪は常に人々の関心を引き付け、政治的なイベントになってしまう。

結局のところ、人々が目にしていたのは、政治ではなく、スポーツだ。対策は常に現場が担

っていた。それなのに、いつの間にか政権だけでなく、賛成した人々も反対する人々も専門家も、全てを政治問題へと結び付ける語り方ばかりが広がっていった。スケボーはむしろ例外で、今回もオリンピックは多くを背負わされた。日本社会に住む多くの人たちはオリンピックを楽しんではいたが、それは競技やアスリートの姿勢を楽しんだのであって、政治の抱えていた問題とは切り離されていたはずだ。それが実態以上の文脈を付与され、ナショナルイベントとして語られる。それこそが「東京オリンピック」だったとも言える。

しかし、問題を切り分ける必要があった。あらゆる問題をオリンピックに結び付けて大きく考えてしまうことの弊害は、現場で積み重ねられた経験から学べなくなってしまうことにある。堀たちの対策から学ぶことは多いと私には思えた。彼女たちが徹底した基本は、これからもあらゆる現場に応用できるのだから。

スケボーが新しいオリンピックの可能性を切り開いたが、全体を通して東京オリンピックは誰にとっても声高に「大成功」だったとは言えない、反対派にとっても「大失敗」と言えない、ある意味ではパンデミックで変わった社会を映し出す２０２１年らしいオリンピックになってしまった。しかし、パンデミックであっても生活は続く。全てが終わり、振り返りながら思う。大会から得られる教訓があるとするのならば、抽象的な絵空事ではなく、「普段通り」を維持しようとした具体的な取り組みの中にあるのかもしれないな、と。

祭りの陰で

現実を動かそうとした、一人の医師の話である。

東京オリンピック期間中に新型コロナの新規感染者数が東京では5000人を超える日もあり、「過去最多」を更新し続けた。いつの間にか「災害」という言葉で語られるようになった。オリンピックに携わった現場の医療従事者の力もあって、選手村で大量のクラスターが発生するという事態は避けられた。他方である有名医師はオリンピック開催に執着した菅義偉政権を声高にテレビで批判し、熱狂的な支持と賞賛を集めた。だが、この医師が新型コロナの特効薬候補と言われながら、この時点でまったく効果が証明されていない薬を実際の診療で使うと宣言したことに集まった批判は注目されないままだった。オリンピック開催中に病床は逼迫し、入院もできない患者が次々と現れるなか、危うい特効薬候補に飛びつくことなく、在宅医療というもう一つの現場で動き出した医療従事者がいた。

首都圏で最大規模の訪問医療を提供する「医療法人社団　悠翔会《ゆうしょうかい》」の理事長・佐々木淳《ささきじゅん》が、普段はまったく接点のない患者の診察が明確に増えてきたと感じたのは、2021年7月も後半に差し掛かった頃だった。在宅医療の主要な患者は高齢者、それも継続的、計画的な医療が必要な高齢者である。悠翔会は首都圏に17拠点、沖縄に1拠点、医師は96人、そのうち常勤医は46人で、約6400人の在宅患者を抱える（この数字はいずれも2021年9月時点）。佐々木たちは今では第1波と呼ばれるようになった2020年春の流行時も、訪問診療を積極的に続けてきた。患者の中には新型コロナ陽性者もいたが、避けることなく現場でノウハウを積み上げてきた。佐々木たちがオリンピック下の東京で直面していたのは、普段はまず診療しない30～40代の新型コロナ患者と接する日々だった。政府の方針は中等症は原則入院だったが、その定義に当てはまる患者でも入院ができないという事例ばかりだった。

彼には二つの東京が見えていた。東京の風景は一見すると、何事もなかったかのように平然としている。だが、彼らが往診で見たのはこんな現実だった。中等症に該当する症状なのに医療期間にアクセスできず3日間苦しんでいた一人暮らしの患者、強い消化器症状が出ており、一週間近くまともに食事をとることもできないまま赤ちゃんに授乳を続けていた女性、家族全員が新型コロナに感染しているにもかかわらず、誰にも助けてもらうことができずに孤立している一家……。マンションなどで人目が気になるという声をうけて、患者によっては家の玄関で感染防護のためのガウンや医療用のN95マスク、キャップ、足のカバーや二重グローブを着用する。本来ならレッドゾーンにあたる家の中ではなく、外で着替えることが医学的に推奨されるのだが、感染を知られたくないという要望を無視することはできなかった。

新型コロナ禍を「災害」だと政府も専門家も言っていたのに、現実は災害でも起きないような医療にアクセスできない人々が大量に残る状態になっていた。口だけで危機を強調しても、現実は動かない。

1973年生まれの佐々木が医師を志した理由の一つに、手塚治虫の漫画「ブラックジャック」がある。専門分野にとらわれず人の命を救う姿勢に惹かれた。大学を卒業し、医師として病院勤務が始まる。現実の医療は「専門」が常に求められる。特に高度な医療を提供する病院であればあるほど専門分化された医療があり、治療が必要な患者がやってくる。ところが病気によっては治療しても再発を繰り返し、最後は治療の限界を告げなければいけない。彼はこんなことを考えてしまう医師だった。これで患者は幸せなのだろうか。

一度、医療を別の視点から見ようと決めて、入社を希望した外資系コンサルティング会社から内定も得た。就職するまでの間、生活のためのアルバイトにと新宿区内の在宅医療クリニック「フジモト新宿クリニック」に非常勤医師として勤めることになった。ここでの経験が彼の人生を変えた。そこに病気や障害を持っていても、楽しそうに暮らす人々がいた。ALSの女性患者は、「不便ではあるけど困ってはいない」と口にした。必要ならばサポートを頼むことができて、病気になって常に夫が側にいてくれることが幸せだと語り、2人で外食に出かけることもあった。目の前の患者を高度な医療で治すのではなく、支えるものという価値観を知った。

ある時点で治療という選択肢を取らないと決めても、人生は続く。大病院は現代医学の知見を取り入れ、技術的にも最高の医療を提供できる。しかし「最高の医療」が個人にとっての「最良の医療」とは限らない。彼は内定を蹴って、「自分が考える最良の医療を提供したい」とこの年の8月、在宅療養支援診療所「MRCビルクリニック」を開設するに至る。それから15年――。

私は、2021年2月に佐々木たちの活動を取材していた。当事、もっとも恐れられていたのは、高齢者施設でのクラスター発生だった。千葉市の高齢者施設「生活クラブ風の村いなげ」の一角にある悠翔会の診療所を訪ねた。佐々木は隣接するサービス付き高齢者向け住宅まで訪問診療に向かい、私も同行した。フロアでは、入居する高齢者たちがスタッフとおしゃべりに興じていた。認知症を抱えている女性は、佐々木や看護師の姿を見るとわざとマスクを外し、大袈裟《おおげさ》に咳《せ》き込むふりをしながら気を引こうとしていた。無論、彼女に悪気は一切ない。

患者の一人、80代の女性は慢性的な疾患を多く抱える。亡くなった夫の遺影が飾られている部屋で、酸素を吸入していた。数値は安定しているようだった。

「先生、また来てね。来てくれるのが楽しみだから」

「大丈夫、また来ますからね」

往診を終えて、診療所に戻るまでの短い道で「ここにウイルスが持ち込まれたら、どうなると思います?」と佐々木に聞かれた。

「率直に言って防ぎようがないと思いました。相当な数の患者が発生しますし、今はワクチンもこれからで、治療薬もありませんから、間違いなく重症化すると思います」

「そうなんです。だから、現実を前提にオペレーションを組み立てるしかないんです」

当時から佐々木が徹底していたのは、アウトブレイク(感染爆発)の予防だけではない。彼はそれが起きることを前提にして「保健所がすぐには来ない、救急車も搬送不可能という状態」でのオペレーションが必要だと考え、備えてきた。激務が続く保健所は、すぐには現場に駆け付けられないし、現状の医療体制では病院搬送も時間がかかることは目に見えているからだ。普段からPCR検査体制を整え、施設関係者に陽性者が一人出たら保健所の指示のもと24時間以内に施設内の高齢者、職員に検査を自前で行い、ゾーニングまで完結させる前提で動いてきた。

感染した場合、入院するのか、あるいは在宅で診《み》るのか。佐々木たちは丁寧なシミュレーションと共に在宅と入院、双方のメリット・デメリットの説明も積み重ねてきた。

在宅でのコロナ患者の治療は、高齢者であっても決して難しくはないというのが彼らの知見だった。高齢者の場合、なにより気をつけるべき飛沫《ひまつ》を飛散させるということはない。呼吸が苦しくなったとしても在宅で酸素吸入も可能であり、呼吸苦が強い場合は通常の肺炎と同じように痛みを取り除く緩和治療にも取り組む。訪問前に換気をしておいてもらい、マスク着用、必要ならば医療用ガウンなどを着用すれば十分に避けられる。佐々木たちの説明を聞き、在宅での治療という選択肢があることに驚き、それを希望する当事者は決して少なくなかったという。

2月の時点では高かった高齢者のリスクは、夏場を迎えるまでにぐっと低くなった。ワクチン接種が進んだからだ。医療従事者の接種もほぼ終わったため、高齢者施設で陽性者が出ても感染は広がらず、せいぜい一人か二人で、ワクチンの効果もあって重症化することも少なくなった。これは朗報だったが、逆に増えてきたのが若年層の患者だ。デルタ株での感染が拡大するなか、政府は慌てて入院方針を変更して原則自宅療養という方針を打ち出したが、そもそも新型コロナ患者について訪問診療、看護のノウハウを持っている組織はそう多くはない。千葉県や東京都の医師会が注目したのが佐々木たちの活動だった。

首都圏最大のグループといっても常勤の医師は限られており、彼らもまた患者の容態に応じて地域の往診を一時的に止めたり、本来なら往診するところを後回しにしたりして、若年層の新型コロナ患者の治療にあたってきた。最終的には、医師、看護師、ドライバーの3人1組で在宅コロナ専門往診チームを常時3チーム編成し、東京23区の面積の85パーセント、人口約800万人をカバーしたという。それでも見えてきた課題はこうだ。

一人の医師が朝から晩まで自宅を訪問し、患者を診て回ってもせいぜい1日10人が限界である。次の日にも新たに10人を診察し、10日で100人の患者を診たとしよう。だが、積み上がった患者100人のフォローまで現実にはできない。容態確認の電話を医師が担当し、一人につき5分かけたとしても相当な時間を取られる。容態が悪化したときの受け入れ先はどこの病院になるのか。受け入れを断られたときの対応をどうするのか。具体的なオペレーションが描けなければ、方針変更は絵に描いた餅となってしまう。

佐々木のように重症病床とは違った意味で、現場の最前線にいる医師は「なぜもっと効率的に運用できないのか」という場面に幾度となく遭遇してきた。病床が簡単に増やせないのなら、退院の基準を見直す、あるいは診察に関わる医師や看護師を増やすしか方法はない。熱などの症状が出ても歩けるという患者ならば、通常の病気と同じように、最初に医師が診察して解熱剤を処方し「それでも良くならなければ、また来てくださいね」で済むケースも多々ある。だが、２０２１年の夏を過ぎても、発熱患者すらまともに診察しないという方針を掲げている医院は少なくない。

本来ならば、新型コロナ患者の在宅ケアで主軸を担うはずの訪問看護にしても課題が残っていると彼は考えていた。医師が早期から介入して、訪問看護師に指示書を出せば、在宅での酸素投与やステロイドの処方、抗菌薬や解熱剤や点滴の投与といったバリエーションで治療に取り組める。だが、ここでも佐々木たちのように関わろうとする医師はまだ少ない。

感染爆発が起きているときは、中等症患者を集める大規模施設を造った方が一軒一軒、自宅を訪問するよりも効率的なのに、すぐにそうした手が打たれない。注目された抗体カクテル療法にしても、この時点では訪問診療では使えなかった。もし、使うことができれば早期回復、効果的に命を救える医療は可能になっていた。

病床確保のためのお金はこの1年でかなりつぎ込まれた一方で、もう一つの最前線であったはずの訪問看護への手当は低いまま感染者は増加し、そもそも担い手の少ない訪問看護が「最後の砦《とりで》」になった。これでは現場は報われない。大多数の軽症患者、中等症患者の一部を地域で治療・ケアし、よりハイリスクな中等症患者、そして重症者の治療に大病院の医師が集中できるようにする方法はある。現場の負担軽減にもつながるはずだが、こうした動きが特に首都圏では鈍かった。いつも漫然と「波」を乗り切って、喉元を過ぎて暑さを忘れたためだ。「次に備えよう」は、掛け声だけで終わった。

佐々木は、神戸市で在宅での新型コロナ患者のケアにあたってきた訪問看護師に聞いた話を教えてくれた。患者が辛いのは肉体だけではない。電話をしてもつながらない、どこにも相談できず、救急車を呼んでもやって来ないという状況で自分は見捨てられていると思ってしまうこと。「不安」もまた辛いのだ、と。血中酸素飽和度が90パーセントを切るというハイリスクな状況でも入院先が見つからず、救急車を呼んでも搬送先が見つからないという現実はすでにある。明日にはひっそり重症化する患者が出る。

「基本的にはウイルス感染症だから、医療システムに組み込んで患者に応じた治療やケアに取り組めばいいのです。東京でも、感染してしまい一人で苦しんでいる患者がいます。いきなり救急車を呼んでも、来られるかどうかも運次第、感染しても適切な治療を受けられるかも運次第という状況を医療とは呼べません。僕たちももっとノウハウを地域の医療機関や自治体と共有して、できることを広げていかないといけない」

メディアに大きな注目をされることもなく、水面下で最前線に立っている医療従事者に口先だけの感謝ではなく、現実的かつ報われる仕組みはまだない。２０２１年8月、新規陽性者数がピークを迎えた時、佐々木は「在宅コロナ患者への往診への協力を求めるメッセージ」を公開した。そこにはこんな内容が記されていた。

《■業務内容

新型コロナ患者の在宅療養支援

・電話診療・オンライン診療

・往診（ドライバー・看護師同行）

・コロナ療養施設（看護師常駐・中等症ベッド5〜10床）の回診

・上記に基づく在宅酸素療法の導入・指導、薬剤処方（院内・院外）、点滴などの必要な医療処置、訪問看護指示等

保健所及びフォローアップセンターからの対応依頼を、医療法人社団悠翔会の「コロナ対応本部」にて一元的に受付、初診カルテを作成した状態で引き継ぎます。

安全な診療ができるよう必要十分な資材を確保しています。

お問合せ、ご応募はこちらからお願いします。》

ほどなくして、呼応する医師があらわれた。希望はこのファクトに宿る。

まぜこぜ礼賛《らいさん》

「まぜこぜな社会」という言葉を聞いたとき、どう思うだろうか。すべての人が入り交じっている社会か、それとも秩序がまったくない混沌《こんとん》とした世界か――。

2020年11月の東京、それは東《あずま》ちづるにとっていつもと変わらない一日の始まりだった。重要な連絡が来る予感はなにもなかった、と彼女は言った。芸能界で長く活動してきた彼女には、もう一つの顔がある。一般社団法人「Get in touch」を2012年に立ち上げ、「まぜこぜ」を目指して走り続けてきた団体トップとしての顔だ。もっとも、彼女にしてみればどちらも自身の「芸能活動」ということになるのだろう。

日本の芸能界には、「社会」を映し出すという発想がほとんどと言っていいくらいにない。学園ドラマが映し出す教室の中では、「障害者」はいないことになっている。つい動き回ってしまう子供もいなければ、街頭が映るような場面でも、子供連れはいても、車椅子ユーザーはどこにもいないし、外国人も出てこない。障害者が出る、となれば「障害」が主役の感動ストーリーになってしまい、日常が消えていく。かつて当たり前のように放映されていた「こびとプロレス」も、いつの間にかテレビから無くなり、タブーのような扱いになった。

彼女の友人が車椅子を使って街に出る。子供たちは好奇心を持って自分を見ているのに、その親は「見てはいけません」と言って、視線をそらすように促す。もっと興味を持って、話しかけてくれればそこで会話が生まれるにもかかわらず、こうして障害者は目に入ってきてはいけない存在として認識されていく。社会は、本当は「まぜこぜ」になっているはずなのに一体、誰が見えない存在にしているのか。

自分が生きてきた芸能界の現実を口先だけで嘆くことを、彼女は良しとはしなかった。発達障害があろうが、身体障害があろうがまったく関係なく「突き抜けた個性」を持った表現者たちが集まる舞台を構想し、実現まで持っていった。

２０１７年12月に品川プリンスホテル「クラブｅＸ」で上演された「月夜のからくりハウス」には、彼女の哲学が詰め込まれていた。コンセプトは、平成まぜこぜ一座と名付けた出演者たちの「見世物小屋」である。クラウドファンディングで資金を募り、「極上」のエンターテインメントを目指した。

こうした活動は「障害者支援」という言葉でメディア上では広まっていく。「東さんは、熱心に支援していますね」という言葉を聞くたびに、違和感があったという。「支援」というのは、自分が上位に立つということである。重度の障害のある人から「結局のところ、ちづるさんにはわからないでしょ」と言われても、「わかりません」と返している。お互いが対等で「わからない」ものはわからない。だからこそ対等に「わかろうとする」ところから始めていく。ここが大切なのだ、という思いが根底にある。

そんな彼女にやってきた連絡というのは、長い芸能生活のなかでもトップクラスのサプライズだった。相手は東京２０２０組織委員会である。用件は、東京オリンピック・パラリンピックの大会公式文化プログラム「東京２０２０ ＮＩＰＰＯＮフェスティバル」の文化パートのうちの一つについて、総合構成・演出・総指揮をお願いできないかというものだった。彼女は依頼を受けるか否か、１カ月以上悩むことになる。

先方の依頼は本気だった。しかし、世の中の分断を彼女は知っている。新型コロナ禍で開催に向けて動き出すことになった大会に反対する人が多数になるのは、至極当たり前のことだ。引き受けたとなれば、活動に協力してくれた人たちからも「幻滅した」「結局、魂を売ってあっち側にいったな」といったバッシングがやってくることも覚悟しないといけない。それは活動そのものの存続にも関わることになる。

他方で、彼女の周囲にはオリンピックやパラリンピックを目指してきたアスリートもいる。彼女が活動をともにしてきた表現者たちにとっては、何よりも世界に知ってもらえる最高の機会になるだろうとも思った。現実の問題として、普段の活動ではスポンサー集めから苦労が始まる。世界中に届ける映像制作というのは、やろうと思ってもできないビッグプロジェクトだ。

やるにしても、断るにしても、どちらにしても安易な決定はできない。オファーを受ける決め手になったのは、「Ｇｅｔ　ｉｎ　ｔｏｕｃｈ」の仲間がこぞって賛成してくれたことだった。「ちづるさん、これまで積み重ねてきたことが大きな形になりますね」と、彼らはチャンスがやってきたと捉え、泣いて喜ぶメンバーもいた。公式に発表された２０２１年3月9日以降、直接、あるいはインターネット上でも大きな批判は届かなかった。やってきたのは「大会には反対だけど、もし中止になってもこのプログラムだけは残してほしい」「絶対に完成させてほしい」という声だった。

ひとまず、彼女は賭けには勝った。発表に至るまでのハードルを思い出しながら、安堵《あんど》するのだった。ハードルとはこのようなものだ。最終的に多少改善されたとはいえ、組織委内部が「多様性」から遠いことに彼女は愕然《がくぜん》としていた。多くは「健常者」の男性、それも高学歴のエリートばかりで、似たようなスーツを着用している。会議に女性は彼女一人で、そんな中

「多様性」を語るというシチュエーションもあった。

彼女が制作体制のトップになったのは「共生社会の実現に向けて」をテーマとした主催プログラムの一つ、公式名称は「ONE-Our New Episode-Presented by Japan Airlines」。冠パートナー企業はＪＡＬだ。彼女の構想は、それを聞いた時から固まっていた。それが発表された「ＭＡＺＥＫＯＺＥアイランドツアー」という企画だった。飛行機に乗り込むと、そこにはドラァグクイーンのキャビンアテンダントがいて、９つの島を次々に案内する。島にはそれぞれに特色があり、障害のあるダンサーやパフォーマーがいて、普段とは違うメンバーと一緒に歌う平原綾香がいて……次々と観客を楽しませる芸を繰り広げていく一本の映画だ。

最初に疑問が投げかけられたのは、「ＭＡＺＥＫＯＺＥ」という言葉だった。組織委員会サイドから「まぜこぜは秩序を乱すとか、和を乱すと思う人もいるので、この表現は変えてもらえないか」という「お願い」がやってきた。

ここで彼女は反論する。

「では、秩序とはなんでしょうか。もしみんなが同じ方向を向いている社会を秩序が守られた社会だとするのならば、私はそういう社会は違うと思っています。みんながバラバラな方向を向きつつ、でも支え合うのがまぜこぜな社会なので、まぜこぜという言葉は譲れません」

タイトルに「まぜこぜ」を使うかどうかを数カ月かけて議論することになったが、そもそも

「まぜこぜ」は彼女の活動の根幹にある言葉である。それを使ってほしくない、というのなら、なぜ依頼してきたのか、という怒りも当然のようにあった。だが、怒りばかりでは何も変わらない。

次に指摘が入ったのは「異形《いぎょう》」という言葉だった。

身体障害を持ったダンサー、森田かずよが出演する舞台は「異形の島」と名付けられた島になるはずだった。ところが、製作の過程でこの言葉に組織委側から「待った」がかかった。端的に言えば「異形」という言葉が、差別や偏見を助長する懸念が残るという趣旨だった。彼女の身体、そして身体表現を美しいものだと思っている東はなぜ「異形」がダメなのかの説明を求め、この言葉をどうしても使いたいと主張した。

組織委側は「ならば本人はどう思っているんですか？」と聞いてきたが、森田自身も問題があるとは思っていない。むしろ、オファーを喜んで受け入れていた。

周囲のメンバーに話せば、なにもかもが「えぇ～」と驚くところから始まるが、しかし、一歩引いて社会を眺めてみようと彼女は思った。「多様性」を実践して、動き出している人たちのほうがはるかに少数派という現実がある。活動を通して、自分たちにとって当たり前になったことは、社会にとって当たり前ではない。東は言う。だからこそ、一から説明しなければばいけないのだ、と。調査会社に依頼し、インターネット調査で「まぜこぜ」という言葉のイメージを調べてもらい、データを揃えたうえで「まぜこぜ」という言葉を使う意味を理解してもらえるよう粘り強い説得を続けた。「異形」という言葉は東も本人も問題ないと判断したにもかかわらず、「待った」は覆ることなく、議論を重ねた結果、最後は「異相の島」という表現に落ち着いた。言葉を巡る問題が起きるたびに、自分たちもまた閉じた空間の中にいたことに気づけるポジティブな機会として、捉えるようになった。

キャスティングも難航した。この人に出てもらいたいと考えてオファーする中で、障害をもった多くのアーティストたちは出演を快諾した。自閉症のダンサー、光陽師想真《こうようしそうしん》もその一人だ。パラリンピック開会式でも狐の面をつけた印象的なパフォーマンスで会場を沸かせたダンサーである。私は別の取材現場で知り合う機会があり、その後も付き合いが続いていたが、コロナ禍で直接会う機会はめっきり減っていた。

２０２１年の春に銀座でばったりと出くわし、互いの近況を短い時間ではあったが語る時間があった。その日、私は銀座で取材があったのだが、思いのほか早く終わってしまい、時間を持て余していた。あるデパートで障害者アートをデザインソースに使ったマスクやネクタイを展示、販売するイベントがあることを知っていたので、思い立って会場を訪ねることにした。マスクを物色しながら、ふと横を見ると知った顔があった。偶然にしては出来過ぎているので、他人の空似かもしれないと思ったが、どうにも本人にしか見えない。向こうも気がつき、同時に「あっ」と声を出した。

「想真じゃん。久しぶり、いや、すごい偶然だ……。元気にしてた？　最近何やってんの？」

「今ね、ちづるさんの映画の撮影もやっているんだよ。ちゃんと踊るシーンだってあるんだよ」

「すっごいじゃん。頑張ってるな」

オリンピック、パラリンピックの開催に反対する世論が多数派のなかで出演に喜びと意欲を見せるパフォーマーがいたことは確かに朗報だったが、東が頭を悩ませていたのは「健常者」のアーティストだった。


開催そのものに反対だから協力したくないと言うのならば、まだいい。東自身が掛け合い、「東京２０２０の公式プログラムで多様性と調和がテーマで、冠パートナーはＪＡＬで……」とオファーを出し説明をすると、最初は多くの人が乗り気になる。ところが、共演者の名前や詳細を説明すると「一旦、預からせてください」となり、本人は乗り気でも事務所が断ったり、現場のマネージャーは「受けるべきだ」と粘っても最後は「総合的な判断」を理由に断られたり、あるいは「企画は素晴らしいです。でも、この作品で表現する『多様性』に自分が入ることは、ちょっと考えていません」という返事が来たりもした。

「さすがに落ち込みましたけど、これが日本の芸能界の現実ですね。別に断った人たちが悪いわけではないんです。普段から、障害のあるアーティストと共演することを想定していないからオファーが来ても戸惑うだろうし、どう見られるのかと考えてしまう。これって仕方ないことなんですよ、経験がないから。だから私たちがずっと活動しているんです」

キャストが変わるたびに構成は少しずつ変わった。彼女がキャスティングしたものの、過去のいじめなどを理由に参加を辞退することになった絵本作家のぶみを巡る炎上騒動もあった。記者会見で、東は「失敗や間違いをしてしまっても、生き直そうとする人は受け入れる社会が健全、多様性だと考えたが、結果的には私の甘さでした」と率直な思いを語った。編集をすべてやり直し、のぶみの出演する全シーンをカットした。

ドタバタはあったが、結果、出来上がった作品はすべてが多様だった。

東京を象徴する平原綾香の「お祭りマンボ」のカバー、あわせて踊るのは社会に当たり前のように存在していながら、スクリーンやテレビからは無意識のうちに排除されていた人々だ。彼らが同じ場面に同時に映る。日本語ヒップホップと車椅子ダンサーのコラボ、「こびとプロレス」、そしてこびとの役者をいじる東……。映し出されていたのは期せずしてか、狙ってか世界に通じる基準で、かつ日本文化の特徴を巧みに組み合わせたエンターテインメントだった。

意味深な「もやもやさせる」ことを狙ったラストシーンも彼女からの問いかけだ。組織委の森喜朗前会長の女性蔑視発言で当初の予定から、最後はすべてを変えた。このままでは「日本の多様性は広がっていきます」とは言えないと判断したからだ。予定を変えなければ、彼女自身がよく口にしてきた「見せかけのヒューマニズム」に加担することになる。政治の世界でも芸能界でもエンターテインメントの世界でも、多様性のない世界が再生産され、それを当たり前のものとして観客も含めた多くの人たちが受けいれてきたのが日本の社会だ。

それでも少しずつなら変化は起こせる。当初は彼女のもとにやってきた「障害者を見世物にするのか」といった批判は確実に減った。1990年代前半はテレビの中で彼女も笑っていた性的マイノリティーをいじるネタや、容姿をからかうようなことも、「笑えない」ものへと意識は緩やかに変わってきたのが何よりの証拠だ。

どうしても分断は残ってしまうが、一石を投じることで変化を起こせるという希望も同時に残っている。懸案とともに、彼女は走り続ける道を選んだ。変化の先にある未来を信じて。

雨に踊れば……

ダンサー、神原健太《かんばらけんた》は雨に打たれながら「まったく、よくできた演出だ」と思っていた。2021年8月24日午後8時、東京・国立競技場で東京パラリンピックの開会式が始まった。選手たちも入場を終え、派手なデコレーショントラックに乗り込んだ布袋寅泰《ほていともやす》らがパフォーマンスを披露している時、ステージには雨が降っていた。あらゆる「障害」を持った、より正確に記せば社会から「障害」を持っているとされたパフォーマーたちが音楽やダンスを披露する。その一人、神原は雨を身体に受けながら登場の場面を待った。

彼は先天性の二分脊椎《せきつい》のため、歩くことができない。幼少期から車いすで生活してきたダンサーである。車いすを身体の一部として扱う彼の個性的なダンスは、リオデジャネイロパラリンピックの閉会式に参加したことで一躍知名度を上げた。専門学校を卒業し、東京都内のIT関連会社でエンジニアとして働く傍ら、新型コロナ禍以前は学校などに赴いて、パフォーマンスを披露する機会も多く持った。

東京パラリンピックは彼にとって、大きな夢の一つだった。リオ後に誕生した幼い娘は、彼のダンスを真似するようになった。晴れ舞台で踊る姿を見せたいとも思った。そして何より彼はリオのパフォーマンスの出来に納得できないでいた。雰囲気にのまれてしまい、自分の表現ができなかったという悔いも強かったのだ。２０２０年3月にあった開会式最終オーディションに参加した神原は、自身の合否を知る前にオリンピック・パラリンピックの1年延期という知らせを聞くことになる。いつもの年ならまわっていた学校や舞台でパフォーマンスを披露する機会は減り、テレワークの比重は増えていった。２０２０年末にやっと出演が決まった頃には、東京は二度目の緊急事態宣言が取り沙汰され、開催そのものの是非も議論の対象になっていた。

そんな状況下にあって、彼は本当に出演していいのか考え続けてきた。阪神大震災で実家が半壊した災害の一当事者として、当初掲げられた「復興五輪」というコンセプトは魅力的だった。それならば出る意義はあるだろう。だが、やがてコンセプトそのものが薄くなっていったことに違和感が残った。高まっていたオリパラ中止論は、常に自分にも向けられているように感じ、オリンピックでもあった、選手や参加者のSNSに向けられた辞退を求める圧力、あるいは参加したことへの批判はますます彼を悩ませた。

結局、辿《たど》り着いたのは、パラリンピック中止となっても理解はする。だが、やると決まれば出演は辞退しないということだった。開会式には障害の有無にかかわらず多くのパフォーマーが集まった。「障害者」という枠で括《くく》られる彼らだが、事情は一人一人違う。彼らは頻繁にLINEで連絡を取り合い、不安定な状況でもコミュニケーションを欠かさなかった。本番前日、8月23日には神原がしばらくスマートフォンを確認しないでいる間に、100通以上のメッセージがやり取りされていた。そこでは耳が聞こえないパフォーマーと連絡を取る中で、「もっと手話を学びたいと思った」といったやり取りもあった。神原はここに、お題目では終わらない「多様性と調和」を見る。

医療スタッフも具体的な感染予防策を用意していた。飛沫《ひまつ》が漏れやすいとされる布マスクやウレタンマスクの着用を禁止し、不織布《ふしょくふ》マスクの着用が徹底された。スマートフォンも入り口で消毒する。椅子も同じ方向に向けて、食事のときは一人で黙って食べる。パフォーマーのPCR検査は二週間に一度、課せられ、リハーサルなどで休憩中に水を飲む時も、サポートスタッフが走って、手指消毒をしてからパフォーマーに配るといったような細やかな対策が取られた。そしてようやくやってきたステージが「8・24」だった。

神原には一つの願いがあった。それは「障害のあるダンサー」ではなく、「ダンサー」として見てほしいというものだ。この日のパフォーマンスは、彼の願いが実現に近づく一歩になったのかもしれない。「光のステージ」と題された舞台でスポットライトを浴びたのは、主人公の少女「片翼の飛行機」を演じた和合由依《わごうゆい》、義足のダンサー大前光市《おおまえこういち》が主人公に力を与える「光の化身」として、そして「鏡の化身」となり光をあらゆる方向に反射させた神原の3人だ。スタンドは無観客だったが、各国からのアスリートという「観客」はいた。スタッフ以外は誰もいないリハーサルとは何もかもが違っていた。

　鏡をイメージして作られた衣装をまとった彼は、踊りながら雨を見ていた。ライトはステージに落ちた雨も照らし出す。地面を濡《ぬ》らした水も眩《まばゆ》く、きらきらと輝いていた。布袋率いるバンドが奏でる音楽に合わせ、神原は横に倒した車いすの車輪に乗って身体を回転させる。「ろくろ」と名付けている自身のダンスを象徴する技を堂々と披露した。

　ダンスのワンシーン、身体を大きく反らして上空を見上げた彼の目に飛び込んできたのは、国立競技場に降りそそぐ雨だった。ステージだけでなく、場内のあらゆる光を反射させながらステージに落ちてきた雨もまた、彼が扮《ふん》した「鏡の化身」の一部のようだった。可能性を象徴する「光」と、それを広げる象徴としての「鏡」……。今、こんな景色を見ることができるのは自分しかいない。そして思うのだ。

「まったく、よくできた演出だ」――。

彼は主人公「片翼の少女」にかつての自分を見ていた。幼い時から車いすに乗っていたことへの葛藤、そしてパフォーマーの経験も少ないままリオパラリンピックの閉会式に出演したこと……。最後の手拍子は、一歩を踏み出した彼女へのエールを込めた。開会式から一夜明けて、調布市の自宅に帰った彼はこんなことを言った。

「新型コロナの患者がこれだけ増えているなかで、参加して楽しかった万歳ではダメだと僕は思う。医療従事者の立場に立てば、なんで今？　という気持ちがあることもわかります。でも、あのステージには確かに多様性があった。そう思うんです」

＊

リオパラリンピック閉会式への参加がほぼ決まっていながら、直前で断念したダンサーがいる。義足のダンサーとして大阪を拠点に活躍中の森田かずよである。彼女も先天性の障害で背骨は曲がり、右手の指は4本で、そのうちの3本はまっすぐに伸びず、右の肋骨《ろっこつ》は3本ない。

彼女と初めて出会ったのは、まだ新聞記者だった2011年だった。大阪で仕事をしていた私は、SNSで彼女の存在と彼女が自前で発信するインターネット番組の存在を知った。彼女の家を訪ね、この番組についてのインタビューをして、原稿にまとめた。2011年6月1日付の夕刊に掲載されたのだが、大きなニュースが飛び込んできたこともあり、最終的に社会面の小さな記事になってしまった。長い時間インタビューに応じてもらったのに、小さな扱いになってしまって申し訳ないと詫《わ》びたが、彼女はとても喜んでくれた。以来、彼女の公演を見にいったり、社会と障害をテーマにしたインタビューをしたりと付き合いが続いている。

そんな彼女も開会式の舞台に立った。テレビの前で「おぉ」と思わず声を出してしまったのは登場シーンが、全体のクライマックスと言ってもいい場面だったからだ。各地でつないだ聖火のダイジェスト映像が国立競技場に流れる。森田が演じる「太陽のダンサー」は、真っ赤な衣装に身を包み、その特徴的な身体を活かしたダンスを披露し、競技場内に聖火を誘う。その瞬間、彼女は会場内のスポットライトをたった一人で浴びていた。

印象的なパフォーマンスから一夜明け、東京のホテルをチェックアウトするというタイミングで彼女と話すことができた。

「すごくよかったですよ。めっちゃ目立ったし」と私は声をかけた。

「聖火の映像が流れたときのなんとも言えない瞬間はずっと忘れないと思います。あっ、でも一晩たったから、今は冷静ですよ。もっと上手くできたなというところもあったし」

声は弾んでいたが、彼女も葛藤を抱えていた。「パラリンピック」という言葉を検索すると、関連で出てくるのは「中止」や「やめろ」といった言葉が上位にくる。参加することで、バッシングを懸念する友人たちもいた。ためらいはどうしても残る一方で、彼女も集うパラリンピアンたちの現実の一端を知っている。そもそもリオパラリンピックに彼女が出演できなかった理由も、「十分なケアができない」という判断があったことが理由の一つだった。ある映画のエキストラの募集要項には、補助器具や介助者が必要な人はNGという言葉があった。おそらく製作陣のなかに障害者を排除しようという意識はないだろう。だが、結果的に役者としての活動も続けているにもかかわらず、森田に応募資格はなくなる。彼女はそんな社会について、自身が抱いた違和感をそのままにせず、言葉を尽くして考えるという姿勢を徹底してきた表現者だ。

少なくとも私にとっては、彼女のチャレンジが結実した瞬間に見えた。そんなことを伝えると、彼女は「ありがとうございます」と快活に応えて、でもね……と続けた。

「私はここがゴールだとは思っていないんです」

「多様だからおもしろいんだってことは伝わったかな……」と神原は言った。

何もかもを良かった、良かったで終わらせる気は彼らにはない。たった一度のイベントで起こる変化はたかが知れている。だが、おもしろいパフォーマーは確実に社会にいる。彼らを日常的に起用しないのは誰か？　私は彼らが切り開いた可能性に懸けてみたいと思う。たとえば森田の目指しているゴールを見るために。

街の止まり木

東京・神保町の小さなオーセンティックバー「街路」のバーテンダー塚本豊《つかもとゆたか》にとって、２０２１年はなんとも奇妙な年になった。

やがて日本がバブル景気にわく１９８０年代前半から仕事を始めた彼にとって、59年間の人生でおよそ長期休暇というものとは縁がなかった。２０２１年４月25日から始まった三度目の緊急事態宣言で、約２カ月にわたって酒の提供まで制限され、酒を出す店舗には休業要請が出された。一時解除されたが、それもほんの一時で、また７月から９月末まで仕事がない日々を送ることになった。アルコールを使わないカクテルを出す形での営業も考えたが、なにか自分の店とは合わない考えだと思ってしまい、結局、いつも緊急事態宣言が出るたびに休業を選ぶのだった。

休んでいる間、週に１～２回店にやってきて、ともにカウンターに立つ成田美歌子と店内に風を入れ、グラスと酒のボトルを磨いた。手に入りにくくなっているウイスキーのオールドボトルも、誰でも買えるような安価なウオッカでも同じように磨き、棚の中にそっと置く。きれいに磨かれたボトルは、店の哲学を象徴する。どれだけ高価な酒であっても、どんな人であってもバーの中では横並び、平等に扱う——。飲食店は補償の対象になっており、お客がいなくても、働かなくてもお金はとりあえず入ってくる。ありがたいことはありがたい。だが、充足感はほとんど無いままだった。

＊

「緊急事態宣言というのは、感染者を限りなくゼロに近づけないといけないのです。新型コロナウイルスを封じ込めることは、決して難しいことではないですよ。理論的に考えれば、この国に住む人々が1カ月外に出歩かなければ、感染は広がらず、ゼロコロナは実現できる」

都内のある会議室で、国の対策にも影響を与える立場にある感染症専門家が、私の取材中に言い放った一言である。年明け早々に出された緊急事態宣言が解除された2021年4月のことである。大量の資料や書籍、そして古いパソコンが並んでいる部屋の中で、私はこの発言を内心、呆《あき》れ果てながら聞いていた。彼の口調は、まるで家畜を管理するかのようだったからだ。

この専門家の発言は、正しすぎると言いたくなるくらい正しい。多少の犠牲を払ってでも、感染者数は確かに抑制したほうがいいのだろう。対策を徹底したいのならば、全員が外に出ることなく、人と人の交流を断ち切ることがベストであろうし、この間も散々主張されていたように「人流」をすべて制限するような施策を打ち続けることが良い。理論的にはその通りである。では誰が感染症対策のために生活を犠牲にするような行動を取るのか。

往々にして彼らが理想としているのは、あまりにも「理性的な人間」だ。感染症対策を呼びかけられれば、きちんと言うことを聞いて家にこもり、情報を丁寧に集めて、リスクのない生活を徹底する。それができれば望ましいが、人間はときに気分を変えるために酒を飲み、誰かと語らうことで、明日への希望を抱く。世界の各地にオーセンティックバーが存在するのは、人がほんのひとときであっても、家と職場以外の場所を求めてきた証左でもある。

＊

前回の東京オリンピックを2年後に控えた1962年、横浜市に生まれた塚本がこの業界に足を踏み入れた明確な理由はない。あえて探すのならば「人の縁」が重なり、気がつけばバーテンダーになっていた。

家庭の事情もあり、高校を卒業してすぐにレストランパブで働きはじめた。父親の入院などが重なり一時、飲食業界からも離れざるを得なくなった。そんなある日、状況を見かねた友人から六本木のレストランに行かないかと誘われた。レストランの中にあるウェイティングバーに、日本のバーテンダー業界では知らない人はいないという著名なバーテンダーが立っていた。

そこでしばしの間、言葉を交わす機会があった。彼は塚本に聞いた。

「きみはいま何をしているの？」

「いまは親の面倒を見ていますが、いずれ飲食の世界に戻りたいと思っています」

「それならば、麻布十番に弟子筋が開いている店がある。そこでちょうど人を募集しているので、ぜひ行ってみなさい」

もしここでの出会いがなければ、もし店に紹介してくれたのがこのバーテンダーではなかったとしたら、彼は六本木や銀座でまったく違う夜の仕事に就いていたかもしれないと思う。24歳の塚本は勧められるがまま、麻布十番にある「オン ザ ロックス」に入店することになり、バーテンダー修業を始めることになった。初めてみるとおもしろいもので、彼の好奇心の行先とバーテンダーという職業はきれいに重なっていった。

まず量を飲むだけではない酒の飲み方を覚えた。同じウイスキーであっても、氷を入れるのか、加水するのか、常温にするのか冷やすのか、テイスティンググラスで提供するのか、底の厚いロックグラスに注ぐのかで味と香りが変わる。加水にしてもほんの数滴違うだけで、別のボトルと言ってもいいくらいにすべてが変わってくる。スタンダードなレシピがあるカクテルでも、手がけるバーテンダーによってまったく違う味になっている。目の前にいる客がどの程度酔っているのか、最初の一杯か、最後の一杯を求めているのかによってもレシピをアレンジするからだ。

そこに絶対的な正解はない。広がっていたのは、制限があるようで無限の広がりを持った世界だった。暖簾《のれん》分けのような形で麻布十番に「TANGENT」というバーを開いた。そこにアルバイトでやってきたのが成田だった。立ち仕事であること、そして氷も扱うため見かけほど楽な仕事ではないと伝えたが、それでも構わないと言って彼女は働きはじめた。それも、誰よりも愚直に。


バーは時代を映し出す。麻布十番には多くのビジネスパーソンたちが訪れた。80年代の広告代理店は、深夜まで飲んで、良いアイディアを思いつくと、そのまま会社に戻って、泊まるという人々がいた。終電が終わっても働くという人々が街にはあふれていた。90年代後半、2000年代とそうした人々は減っていき、上司が部下を連れてくるというシーンも減った。テレビの世界で活躍する著名人たちもふらりと訪れ、何を語るわけでもなく数杯飲んでさっと帰っていくこともあれば、よもやま話に花を咲かせることもあった。どんな時でも変わらなかったのは、塚本が彼らを特別扱いすることはなかったことだ。

彼は接客を「キャッチボール」に例える。絶対に外さないルールは、目の前にいる客と1対1でボールを投げあうこと。隣に座っている客に話を振ることはない。バーは一人で静かに飲みたいからとやってくる人もいれば、あまり人には聞かれたくない話をふとしてしまう場でもあるからだ。

「TANGENT」は2008年に始まったリーマン・ショックの影響で、ビルのオーナーが代わり、立ち退くことになった。知人からそれならば、ということで三田にあるバー「MON」のマスターをやってほしいと依頼があった。自分の店の開店資金を貯めることを念頭に、「雇われマスター」を始めた。勉強も兼ねて湯島にある老舗バー「EST！」で働いていた成田もやがて店に合流し、2人で新しい店探しが始まった。三田という土地も決して悪くはなかった。多くの企業や慶應大学もあり、足繁く通ってくれる常連もいた。だが、退職してからもふらりと遊びにやってくるという街ではなかった。あくまで働いたり、勉強したりするための街だったからだ。

では、どんな街でバーをやるのか。バーテンダーならば誰もが思い描く、自身にとっての理想のバーがある。彼らにとってのそれはビルの上層階ではなく、ふらりと訪れることができる路面店で、なにかのついでに立ち寄ってもらえるような立地にあるバーだった。そして内装は過度の装飾は排して、黒を基調としないことも決めていた。黒の持つストイックなイメージはバーの世界によく似合う。だが、どうしても黒特有の厳格さと威圧感を客に与えてしまう。自分たちの理想とする店にはふさわしくない色のように思えたのだ。

こうして彼らの店舗探しが始まった。まず狙いを定めたのは東京駅周辺だった。ターミナル駅で、ふとしたときに立ち寄ることができるという条件は満たしていた。八重洲だけでなく、日本橋駅周辺まで含めて探したのだが、ちょうど再開発の時期と重なっていたこともあり、めぼしい物件は出てこなかった。2人は週末を利用し、空き物件が出たと聞けば歩いていき、少しでも条件に合わないとなれば「次に期待するしかないね」と言ってまた三田に戻り、いつもと同じように店を開けた。そんな日々を3年ほど送ったとき、神保町に物件が出たという情報が入ってきた。

最初の条件に神保町というエリアはなかったが、実際に見てみるとこれ以上にないほど理想的な物件だった。古書店街としても有名で、会社とは関係なく訪れることができる街である。この物件は、最初は喫茶店が入り、その後は倉庫として使われていた。喫茶店時代の名残で、外観には新品では出せない味わいのレンガが残っていた。書店が立ち並ぶ大きな通りからほんの少し路地を入ったところにあるという立地も気に入った。最後の難関は、先約が入っていたことだ。不動産業者は「ほとんど決まってしまっていますが、もしかしたら決まらないということもあるかもしれないので……」となんとも頼りない言葉を口にした。

ところが、その「もしかしたら」が起こってしまった。先に契約を進めていた業者がキャンセルすると言って、彼らのもとに契約のチャンスが回ってきた。幸運な偶然は続いた。内見の日に知人の内装業者に連絡をとった。麻布十番時代に内装を担当してもらい、以来、客としても付き合いが続く業者である。「またいつか店を始めることがあれば、一緒にやりたいですね」と語り合っていたこともあり、その場で電話をかけた。すると業者はちょうど神保町にいると言った。聞けば別の物件の仕事があり、たまたま居合わせたのだという。人の縁は重なる。

こうして２０１６年10月に「街路」はオープンした。木目を基調に白や赤を活かす内装、人と人が行き交い、ときに休む人もいれば、おしゃべりに興じる人もいる。そんな店が完成した。

「今日は塚本さんにとって、最初に自信をつけたというカクテルをいただきたいです。ロングでも、ショートでもなんでもいいので」と私は言った。取材は14時前に始まっていた。ちらっと腕時計を見ると、もう開店時間の15時をまわっていた。注文はこの日、「街路」にとって最初の一杯ということになる。

ノーカラーの白いシャツにブラックウオッチ柄のベストといういつもの姿で、カウンターの中に立った塚本は、「うーん」としばらく考えていた。そして、バックバーからベースになるボトルを探しながら言う。

「それでいうとジントニックなんですよ」

少し意外だったが納得もした。ジンとトニックウォーター、ライムだけで作るシンプルかつクラシックなカクテルで、工程もさほど多くない。だが、それだけに誤魔化《ごまか》しもきかず、様々な種類のジンとメーカーごとに異なるトニックの数だけ組み合わせがある。

「昔の話ですけどね……」と塚本はこんな話をしてくれた。ある時、ジントニックばかり頼む男性客がやってきた。いつでも、どんな時でもジントニックを頼み、それを1時間で4、5杯飲んでいく。若いバーテンダーとしては、おもしろい注文ではない。そこである時からベースのジンを勝手に変えて出してみた。

男は「あれ、いつもと違うね」「これは美味しい」と楽しんで話しかけてくる時もあれば、気がつかないのか黙って飲み続けることもあった。彼は誰もが知っている大手企業の御曹司《おんぞうし》だった。敷かれたレールの上を歩く人生は、側《そば》から見れば恵まれているのかもしれないが、彼には重圧もあったのだろう。味の変化に気がつくときは少し余裕があるとき、気がつかないときは考え事をしたいとき……。様子を見ながら、その日、その時に合った最良のジントニックを出し続けた。目の前にいる客に合わせた一杯を出す意味を学んだという。

「そんなわけで、今日はこんなジントニックです」

黄金色のジントニックだった。サフランを使ったフランス産のジンをベースに、ライム、トニックに少量のソーダを加えて甘さを抑える。サフランの色と香りがジンに浸透している。最後に加えたソーダが、ジンの香りをかぎりなく引き立てていた。絶妙なバランスの一杯だと思った。

法哲学者の谷口功一による「『夜の街』の憲法論—飲食店は自粛要請に従うべきなのか」(『Voice』21年7月号掲載)にこんな話が紹介されている。

「ロンドン・スクール・オブ・エコノミクスのダイアン＝ボレット氏は、最近『孤独な呑んべえ／地域の社会文化的荒廃と極右の伸張——廃業に追い込まれるイギリスのパブを事例に(Bolet, Drinking Alone)』という論文を比較政治学の国際ジャーナルに投稿し、評判を博した。その内容は、地域におけるパブの閉店は、人びとの社会的孤立を引き起こし、イギリスの労働者階級の生活条件の悪化のシグナルになっているというものだ。

じつに興味深いことに、パブが地域から姿を消すことによってコミュニティのハブとなる場所が失われ、その帰結としてイギリス独立党(UKIP、右翼政党)への投票行動が促進されるというのである」

たかがバー、たかがパブ。感染症が流行している時期に、わざわざ行くようなものではない。不要不急の最たるものと思う人はいるかもしれない。だが「たかが……」は、決して軽く見ていい存在ではない。

「理想のバーというのは、時間を忘れさせてくれる場所だと思うんです」と塚本は言った。

それは今やかぎりなく贅沢《ぜいたく》なものになってしまった。「酒類は19時ラストオーダー、20時まで」という張り紙ばかりの東京で、私たちはこれまで以上に時間を意識させられている。それ以前に店が続いているか、休んでいるかを気にかける生活も続く。でもね、と彼は穏やかな笑みを浮かべた。

「アメリカでも禁酒法時代にカクテルという文化が発展したように、きっと良い日はやってくる。そう思いながら続けていきたいですね」

私は頷《うなず》きながら、黄金色の一杯を飲んだ。もう一度、時間を忘れられる場がやってくることを願いながら……。

偶然に開かれて

動き出す時は同じだな、と思う瞬間がある。仕事の中身はまったく違う。私はスタジアムにいることもあれば、手紙をジャケットのポケットに忍ばせて、取材を受けてくれるかどうかもわからない人に手渡せる瞬間を待つこともあった。災害が発生したばかりの現場を歩いたり、そうかと思えば選挙事務所で当落を見極める時間を過ごす夜もあった。一つだけ同じなのは、すべての仕事が偶然から始まることだった。

メモには2016年4月3日、とある。その夜、私は国立演芸場で開かれる、ある落語家の独演会のチケットを購入していた。単なる息抜き以上でも以下でもない。私はそれまで所属していた新聞社を離れ、スタートしたばかりのインターネットメディアに在籍していた。アメリカでのメディアビジネスが順調に成長を続けていて、グローバル展開の一環としてついに日本版を立ち上げることになった。サイトが始まる日も２０１６年1月と決まり、会社も業界もそれなりに活気づいていた。

　大江戸線・六本木駅から数分かけて長いエスカレーターを乗り継ぎ、ようやくオフィスがあった東京ミッドタウンの入り口に到着する。極めて現代的なオフィスビルのエレベーターに乗り込む数分のあいだに、いくつかの記事をスマートフォンでチェックして、その日の大まかな予定を決めるというのが私の日課だった。今日はどこに取材に行こうか、どんな記事を流そうか……。

　スタートから2カ月は新しいメディアを一から作るという、お祭りにも似た高揚感だけで走り切ることができた。だが、３カ月を前に現実も見えてくる。取材して、記事を書くという基本こそ変わらないが、仕事のジャンルそのものが変わったことに気が付く時間でもあった。スポーツに例えるのならば、新聞社の仕事観は野球のそれと近い。守備位置を振り分けて、担当する行政や警察が発表する出来事を責任を持って、まずは取り逃がすことがないようにする。くまなく選手を配置して、守備位置は基本的には変えない。取材というのは担当部署を徹底的に知ることだった。

　対してインターネットメディアはサッカーに近い。ある程度、ポジションは決まっているものの、目の前にボールが転がってくれば、たとえ守備的なポジションの選手であってもシュートやパスをしなければチームが勝利することはない。瞬間、瞬間の判断も求められる。

24時間、365日およそニュースが無い日というのは存在しない。アンテナを張り巡らせておけば、インターネット上で話題になりそうなニュースの種はいくらでも転がっていた。しかし、そうは言ってもふと疑問を持つ時間も増えた。常にパソコンやスマートフォンで起きた出来事をチェックし、話題になりそうなものを探し、見つかればすぐに取材相手に連絡を取って、相手の許諾が得られれば取材が始まり、断られてしまったら次の話題を探す。取材が済んでしまえば、礼もそこそこに記事を書き上げ、見出しも自分で付ける。そこからページビューやシェア数といった数字の確認が始まる。SNSの反応も必ずチェックする。良い数字や反応を取ることができれば御の字、思ったほど伸びないようなら次で取り返せばいい……。今日になれば、昨日のことはもう忘れている。切り替えの速度は新聞社以上に早かった。

全力で走ってはいたが、どこかでインターネットと関係のない時間がなければ、息がつまりそうだなと思った。ふらりと寄席に行くことは好きだが、特に落語でなければいけない理由はなかった。私が欲していたのはなんの目的もなく、日常から切り離されている空間だった。

本当ならば日中の仕事を早々に切り上げれば良かったのだが、そんな余裕はなく、もう中身をすっかり忘れている取材と原稿に追われ、気が付けばギリギリの時間になっていた。今からオフィスを出て、タクシーに乗れば間に合う。六本木交差点のすぐ近くでつかまえられそうだったのだが、ちょうど少し手前に私より一瞬早く手を挙げたスーツ姿の男性がいて、タクシーは彼の目の前に停車した。ついてないなと思っていたところ、もう一台「空車」と表示された車がやってきて、私も無事に乗り込むことができた。

「国立演芸場まで。良いタイミングで助かりました」

「そうですか。それは良かったです。今日はなんかあるんですか？」といかにも車内の雑談といった調子で運転手が聞いてきた。年は私よりも少し上の40歳前後の男性で、慣れた手つきでハンドルを握っていた。

「落語会があるんです。せっかくチケットを取っていたんですけどね、仕事が立て込んでしまって」

「へぇ、落語ですか……」

そこで、ほんの少しだけ間が空いた。何か言いたいことがあるのかもしれない。そう思った私は何の気なしに質問を続けた。

「そうなんですよ。運転手さん、もしかしてお好きですか？」

また少しばかりの間があった。静かになった車内に、後ろで激しくなっていたクラクションの音が響いた。実は、と彼は言った。

「親父が落語家だったんですよ。もう亡くなってしまってから結構な時間もたちますし、そんな有名でもないから知らないと思いますけど。私も小さい頃にたまに寄席に連れて行ってもらいました。師匠たちがいる部屋にいました。なんだかよくわからなかったけど」

「そうだったんですか。有名なお師匠もいっぱいいたでしょうね」

「いましたよ。昭和の名人が出番待ちで、そこかしこにいらっしゃいましたから。今なら、親父に贅沢な時間を過ごさせてもらったんだなぁと思いますけど、幼い子供に理解しろって言われても無理ですよね」

「お父さんの後を継ごうなんて思わなかったんですか？」

「とてもとても……。実は兄貴が落語家になったんですよ。最初はサラリーマンだったんですけど、なにを思ったのか、あるとき柳家小三治師匠のところに弟子入りしましてね」

「あの人間国宝の。すごいですね」

「でも、2年で破門になっちゃいました。厳しい師匠だし、兄貴に粗相《そそう》があったみたいですよ。本当に大変な世界だなぁと思いました」

「お兄さん、今はどうしているんですか？」

「別の師匠が面倒を見てくれることになって、今は無事に真打になっていますよ。三遊亭《さんゆうてい》小圓《こえん》朝《ちょう》を襲名して、元気にやっているようですよ。機会があればぜひ。あっもうすぐ着きますよ。きょうは落語が好きな方に乗っていただいて、本当に良かったです」

「いつか観にいきますよ。こちらこそありがとうございました。そうだ、お父さんって？」

「あぁ、親父は三遊亭圓之助ですよ。では楽しんできてください」

圓之助という噺家《はなしか》は全く知らなかったが、落語会に向かうタクシーの運転手が落語家の息子というのは何かの縁だなと思い、私は記憶が鮮明なうちにメモを取っておいた。会も終わり、半蔵門駅近くの中華料理店でビールを飲みながら検索をしていると圓之助が書いた『はなしか稼業』という本があることを知った。古本で手に入れたのだが、これが当たりだった。

1929年4月25日、東京・大塚に生まれた圓之助はラジオの「しろうと寄席」の名物出演者だった。「しろうと」からさらに成長し、プロを目指すべく先代小圓朝に弟子入りする。若手時代は曰く「貧乏」な生活が続いたようで、彼はこの時の出来事をネタとして語っていたようだ。1965年に結婚し、3人の子供が誕生する。後年は噺家だけでなく、NHKのドラマ出演が当たり、役者としても活躍するようになる。ところが芸能活動が勢いに乗ってきた1980年に脳溢血《のういっけつ》で入院することになってしまう。リハビリも兼ねて、出版のあても無いままに左手で原稿用紙に書いていた文章が彼の死後、一冊にまとまった。

描かれているのはエッセイというよりも、落語家の一瞬を手際良くすっと切り取った淡い掌編小説と呼びたくなるような文章だった。彼の眼差《まなざ》しは優しく、噺家という生き方への肯定がくっきりと刻まれている。「文治師匠」と題された桂文治を描いた一編にこんな描写がある。

「文治師匠は、巻煙草を半分にちぎって、それを竹のパイプにつめた。文治師匠は決して、長い巻煙草に火をつけない。煙草一本は、一度に吸う量としては多過ぎるし、また、捨てるのは勿体ない。そうかといって、途中で消した煙草をまた吸うのでは、これは辛くて、とても飲めない」

こうした所作をけちな人だと笑う人に対して、圓之助は腹を立てる。これはけちなのではなく、文治という一流の噺家がいかに自身に対して厳しくしているかの証左であるからだ。

彼の文章には、どこか悲しみが漂っている。それは失われつつある落語家の美学を懐かしむものとは違うような気がした。彼は自分が噺家という「稼業」では登場する大師匠たちのような一流の存在ではなく、かつ自分は一流を目指すことすら病気で叶《かな》わなくなったと思っていたのではないか。憧憬《しょうけい》と断念から生まれる悲しみが文章に淡く滲《にじ》み出る。それは、一握りのトップに立つことができない無名の人々の心情と共鳴する悲しみである。一つ一つのエピソードに派手なドラマはない。それでも本の中には描かれる人物だけでなく、目立たなくとも一つの道を歩き、生き抜いた人間の姿が同時に見えてくる。彼はリハビリを経て復帰したが、1985年に心筋梗塞《こうそく》で「サヨウナラ」という一言だけを残して亡くなる。命日4月26日は、56回目の誕生日を迎えた次の日だった――。

この本を読んで、2年後、私は自宅のパソコンの前で「あっ」と声を出すことになる。朝日新聞のウェブサイトは小圓朝が2018年12月15日、49歳の若さでこの世を去ったと報じていた。肺炎だったという。運転手と約束した「いつか」は永遠にやってこないことになった。なぜ早く小圓朝の高座に行かなかったのか。悔やんでも故人は帰ってこない。そういえば、と思い私は本棚のどこかにあったはずの『はなしか稼業』を探した。もう一度、パラパラと読み返していると最後にあった略年表が目に留まった。最初に読んだ時は読み飛ばしていたが、そこにはこんな記述があり、私はもう一度「あっ」と驚くことになった。

圓之助は亡くなる直前、1985年4月に国立演芸場で人生最後の一席となる「紺屋高尾《こうやたかお》」を披露していた。やってくる命日を前に、運転手は私を乗せて父の最後の舞台へと向かっていたのか……。

都市は偶然に満ちあふれている。ときに、それはいくつも重なる。私が感知できなかった奇妙な縁もあっただろう。いつもどこかの街を歩き、物事を見ながら、話題を探し、これはという人の人生に入り込んで書き留めてきた。走り続ける時間にどうしようもなく疲弊することもあったが、また街に出ることで、人に会うことで、私はどうにか仕事を続けられた。そして、今はこうも思う。もしかしたら探し求めてもいないのに偶然がやってくること自体、幸運なことなのかもしれない、と。一つの仕事が完結しても、もう次に行く場所があるのだから。

あとがき

ロックバンド・くるりに「東京」という曲がある。東京に出てきた若者特有の焦燥感を歌い上げた名曲だと思う。彼らは私と同じ大学の卒業生でもあり、学生時代、大学生協が運営していた学内のＣＤショップにはくるりの旧作、新作がずらりと並んでいた。この曲を聴くたびに思い出す。

ある時期までの「東京」は、私にとって憧れだった。

大学を卒業し、毎日新聞に就職した私は岡山支局に配属された。そこで現実に直面することになる。東京で記者として働こうと思うのならば、支局でそれなりの実績をあげることが最低条件だった。それも当然だろう。誰もが東京で活躍することに憧れるが、その枠は限られている。果たして、その枠に入ることができるのだろうか……。

支局時代に中古で買った白のマツダ・デミオに乗っていた。車で取材先に向かって、現地から原稿を送り、ゲラのやりとりを終えるともうすっかり日が暮れているといったことも珍しくなかった。支局に帰る真っ暗な道路を走りながら、決して性能が良いとは言えなかったカーステレオでよく流していたのも「東京」だった。焦燥感が募っていた20代の私にとって、この曲が東京のすべてだった。

それから15年である。東京に生きる人々を描くルポルタージュを、フリーランスのライターとして書くことになるとは夢にも思わなかった。それも新型コロナ禍と東京オリンピックに揺れる東京を描くことになるとは……。

この企画もすべて偶然から始まった。「サンデー毎日」編集長の坂巻士朗さんから「東京をテーマにした連載をお願いしたい。1964年の東京オリンピックには開高健の『ずばり東京』があった。2020年を切り取ってほしい」というのが最初のオファーで、当初は64年と比較できるような「場所」を訪ね歩くルポルタージュになるはずだった。

そこに新型コロナウイルスの流行が重なった。私の関心はこの時代を生きていく人々へと移っていった。連載を重ねていくうちに、文章はアメリカの新聞におけるコラムに接近していったように思う。往年の名コラムニストは街に生きる人々の人生にすっと入り込み、スケッチのように彼らの人生においた一瞬のきらめきや悲しみを描き、次の仕事へと移っていく。その視線は上から御高説を垂れるようなものではなく、かといって「一般庶民として……」などと妙にへりくだることもない。取材対象であり、読者でもある街に生きる人と同じに保ちながら、敬意を払うことを忘れない。描いた人々との付き合いが長く続くこともあれば、一回のインタビューだけで終わってしまう関係もある。優れたコラムは小さな出来事を積み上げながら、結果的にその時々の街、時代の空気を記録する。

私の仕事もまた取材した人々を通じて、歴史的な出来事が続いた時代を記録するような仕事なのかもしれないなと思った。この本には先人へのオマージュを捧げた作品もある。書籍編集を担当してくれた八木志朗さんは、アメリカの名コラムニストの翻訳本をかつて出版した経験があった。こうした視点からのアドバイスがあり、連載とはまた違った形の文章として書籍化することができた。坂巻さん、八木さんの支えがあって本書は完成した。感謝したい。サンデー毎日の連載に加え、加筆時点で「文藝春秋」「ニューズウィーク日本版」「小説現代」などを初出とするレポートを一部加えた。伴走していただいた各誌の編集者にもあわせて感謝したい。

そして最後に。多くの取材先に支えられ、連載を終えることができた。語ってくれる人々がいなければ、この仕事は成立しない。大きな感謝を登場していただいた方に捧げたい。

2021年秋の東京で——石戸諭

◎本書は、「サンデー毎日」２０２０年4月26日号〜２０２１年10月10日号に連載された
「シン・東京２０２０／２０２１」に加筆、修正したものです。

《著者紹介》
石戸 諭（いしど・さとる）

1984年、東京都生まれ。立命館大学卒業後、毎日新聞社に入社。2016年、BuzzFeed Japanに移籍。2018年に独立し、フリーランスのノンフィクションライターとして雑誌・ウェブ媒体に寄稿。テレビ、ラジオなどでコメンテーターも務める。2020年、「ニューズウィーク日本版」の特集「百田尚樹現象」にて第26回「編集者が選ぶ雑誌ジャーナリズム賞」作品賞を受賞した。2021年、「『自粛警察』の正体」（「文藝春秋」）で、第1回PEPジャーナリズム大賞を受賞。主な著書に『リスクと生きる、死者と生きる』（亜紀書房）『ルポ 百田尚樹現象：愛国ポピュリズムの現在地』（小学館）『ニュースの未来』（光文社）『視えない線を歩く』（講談社）がある。

東京《とうきょう》ルポルタージュ　疫病《えきびょう》とオリンピックの街《まち》で

印　刷　2021年11月15日
発　行　2021年11月30日

著　者　石戸《いしど》　諭《さとる》
発行人　小島明日奈
発行所　毎日新聞出版
〒102-0074　東京都千代田区九段南1-6-17　千代田会館5階
営業本部：03（6265）6941
図書第二編集部：03（6265）6746

印刷・製本　光邦

ISBN978-4-620-32716-7